무림오적

武林五賊

무림오적 38

초판 1쇄 발행 2022년 1월 27일

지은이 ㅣ 백야
발행인 ㅣ 신현호
편집장 ㅣ 이호준
편집부 ㅣ 송영규 최종건 정재웅 양동훈 곽원호 조정범 강준석 최성화
편집디자인 ㅣ 한방울
영업 ㅣ 김민원

펴낸곳 ㅣ ㈜디앤씨미디어
등록 ㅣ 2002년 4월 25일 제20-260호
주소 ㅣ 서울시 구로구 디지털로 26길 111 JnK디지털타워 503호
전화 ㅣ 02-333-2513(대표)
팩시밀리 ㅣ 02-333-2514
E-mail ㅣ papy_dnc@dncmedia.co.kr
블로그 ㅣ blog.naver.com/gnpdl7

ISBN 978-89-267-1890-2 04810
ISBN 978-89-267-3458-2 (SET)

백야 신무협 장편소설

PAPYRUS ORIENTAL FANTASY

38

무림오적

武林五賊

PAPYRUS
파피루스

1장.
악양(岳陽)을 찾는 사람들

"강서낭추 조태수의 경매가 내일이죠?"
"네. 내일 유시(酉時)라고 알고 있습니다. 신청한 자들 모두 동정호에서
저녁 식사를 하면서 함께 경매를 진행한다고 합니다."
"동정호에서 저녁 식사라…… 풍류가 넘치네요."

1. 세 가지 보물

"마침 잘 오셨습니다. 아주 딱 맞춰 오셨습니다. 하하하! 내가 원하는 분들이 원하는 때에, 원하는 물건을 가지고 오시다니, 이거야말로 앞으로 일이 잘 풀릴 거라는 하늘의 뜻이 아닐까 싶습니다."

"문주께서 도련님 걱정을 많이 하십니다. 다른 건 다 좋으니 부디 다치지 말고 돌아오시라는 분부이셨소이다."

"하하하! 아버님은 언제나 그렇게 날 아이 취급을 하신다니까. 다치기도 하고, 실패하기도 하고 그러면서 성장해 나가는 게 아니겠습니까? 원래 원대한 야망을 이루기 위해서는 수많은 고난과 곡절이 있는 법 아닙니까?"

장백두는 언제나처럼 유쾌하고 활기차게 웃었다.

그의 앞에는 다섯 명의 노인과 이십여 명의 중년인들이 모여 있었다. 장백두가 부친이자 형문파 장문인인 추담검객 장자일에게 부탁했던, 형문파 최고 고수들이 막 악양부에 당도한 것이었다.

"먼 길을 오시느라 고생하셨을 터이니 오늘은 이곳 객잔에서 편히 쉬시기 바랍니다. 내일은 아마도 지독한 날이 될 테니까요."

"괜찮소이다."

다섯 노인 중 도사들이 사용하는 순양건(純陽巾)을 머리에 쓴 노인이 미소를 지으며 말했다.

"악양부로 오는 동안 틈틈이 휴식을 취했소이다. 그러니 지금 당장 움직여도 괜찮소이다."

"정말 괜찮으시겠습니까?"

장백두의 물음에 다섯 노인과 이십여 명의 중년인들이 일제히 고개를 끄덕였다.

"좋습니다."

장백두는 활짝 웃으며 말했다.

"그럼 지금 당장 놈들을 찾으러 가죠. 아, 그 전에……
가지고 오신 물건을 보고 싶습니다."

"여기 있소이다."

순양건을 쓴 노인이 등짐을 풀러 공손하게 바쳤다.

장백두는 만면에 미소를 띤 채 짐을 풀었다. 꾸러미 맨 위에는 한 벌의 백의무복(白衣武服)이 가지런하게 개어져 있었다.

장백두의 눈빛이 반짝였다.

"이게 천잠호신의(天蠶護身衣)인 거죠?"

그의 물음에 순양건을 쓴 노인이 고개를 끄덕이며 말했다.

"일반 천잠의(天蠶衣)보다 천잠사(天蠶絲)가 세 배 이상 들어간 보물입니다. 창검의 날은 물론이거니와 검기나 강기, 심지어 폭약과 화약에도 찢어지지 않고 몸을 보호해 줍니다."

"하하! 그럼 이걸 입으면 그야말로 불사지체(不死之體)가 되겠군요."

"하지만 주의하셔야 합니다. 한 점 찢어짐 없이 그 어떤 것도 막아 내기는 하지만, 그것들이 주는 충격과 고통까지는 막지 못하니까요. 천잠호신의는 그저 불의의 일격을 막아 준다는 개념으로 입으셔야 합니다."

"알겠습니다. 명심하겠습니다. 그나저나 아버님께서도 이번 일을 꽤 심각하게 받아들이시는 모양입니다. 아무리 제가 간곡히 부탁드렸다고는 하지만 이렇게 본 문의 귀한 보물을 선뜻 빌려주시다니요."

"아무리 보물이 귀하다 한들 어찌 도련님의 옥체만 하겠습니까? 부디 조심하고 또 조심하라는 장문인의 부모 된 심정을 헤아려 주시기 바랍니다."

"명심하겠습니다."

장백두는 고개를 끄덕이며 천잠호신의를 입었다. 그리고 꾸러미 안에 있던 또 다른 물건을 꺼내 들었다.

그것은 한 자루의 검이었다.

장백두가 말없이 고색창연한 검집에서 검을 빼 들자 주위가 환해질 정도로 눈 부신 빛이 검날에서 발광했다.

내력을 주입하지도 않았음에도 불구하고 날카로운 살기와 무엇이든 벨 것 같은 예기가 서리서리 뿜어져 나왔다. 그 창백할 정도로 새하얀 검날에서는 언뜻 피비린내도 풍기는 것 같았다.

"으음."

장백두는 저도 모르게 신음을 흘렸다.

신기(神氣)라고 할까, 아니면 요기(妖氣)라고 할까. 평범한 무인은 감당할 수 없는 기운이 검의 자루를 타고 장백두의 손에 전달되었다.

"도련님께서도 익히 알고 계시겠지만 그 혈루향(血淚香)은 공적십이마와 버금간다는 마도의 고수 혈루검마(血淚劍魔)의 독문병기입니다."

이번에는 순양건을 쓴 노인 바로 옆에 서 있던, 뇌건

(雷巾)으로 머리를 단정하게 정돈한 노인이 입을 열었다.

"그 무엇도 꿰뚫을 수 있고 그 어떤 것도 막을 수 있는 위력을 지녔으나, 결국에는 주인의 피눈물을 보게 만든다는 마검(魔劍) 중의 마검이니 모쪼록 주의하고 또 경계하라는 장문인의 말씀이 있으셨습니다."

"혈루향이라……."

장백두는 저도 모르게 마른침을 꿀꺽 삼키며 중얼거렸다.

"익히 들어 알고는 있었지만 이렇게 실물은 본 건 이게 처음입니다."

혈루검마는 구천십지백사백마 중 열 손가락 안에 드는 거물이었으나, 결국 정사대전 당시에 목숨을 잃고 말았다. 그렇게 주인을 잃게 된 혈루향은 이후 모든 무림인이 원하는 탐욕의 대상이 되었다.

그러나 기묘하게도 혈루향을 차지한 자들은 모두 비명에 죽어 갔으니, 세상 사람들은 혈루향을 혈루검마의 저주가 씐 검이라고 생각했다.

십여 년 전, 아주 우연한 기회에 전 주인을 살해하고 혈루향을 차지하게 된 추담검객 장자일은 형문산 동굴 깊숙한 곳에 봉인해 두었다가, 이번 장백두의 긴급한 요청으로 인해 어쩔 수 없이 봉인을 푼 것이었다.

"물유각주(物有各主)라고, 모든 물건에는 주인이 따로

있다고 했습니다."

장백두는 홀린 듯한 시선으로 혈루향을 바라보며 말했다.

"그러니 지금까지 혈루향을 차지했던 자들이 비명에 죽은 건 결국 혈루향의 진정한 주인이 아니었다는 뜻이겠죠. 하지만 저는……."

장백두는 문득 활짝 미소를 보이면서 말을 이었다.

"저는 반드시 천수(天壽)를 다 누리고 죽을 겁니다."

노인들이 부드러운 표정을 지으며 말했다.

"그러셔야죠."

"당연히 그렇게 되실 겁니다."

장백두는 노인들의 덕담을 뒤로하고 혈루향을 검집에 꽂은 뒤 제 허리춤에 찼다. 그러고는 등짐 안에 있던 마지막 물건을 천천히 꺼내 들었다.

언뜻 보기에는 귀한 보물이나 구하기 힘든 환단이 들어 있는 보합(寶盒) 같기도 했다. 대충 사방 한 자가 되지 않아 보이는 그리 크지 않은 상자였다.

"조심히 다뤄 주십시오."

순양건을 쓴 노인이 다급하게 말했다. 장백두는 더욱 조심스럽게 세심한 손길로 보합을 탁자 위에 올려놓은 다음 천천히 뚜껑을 열었다.

그 안에는 각각 솜과 비단으로 쌓인 여섯 개의 검은 구슬이 이열(二列)로 가지런히 놓여 있었다. 장백두는 다시 한번 침을 꿀꺽 삼키며 입을 열었다.

"이게 그 하늘을 무너뜨리고 땅을 괴멸시킨다는 천붕지멸폭뢰(天崩地滅爆雷)라는 겁니까?"

그의 물음에 순양건을 쓴 노인이 침착한 어조로 답했다.

"그렇습니다. 과거 장문인께서 벽력당(霹靂堂)의 당주로부터 구한, 아주 귀한 물건입니다. 그 폭뢰 한 알이면 사방 백여 장의 모든 걸 사라지게 만들 수 있다고 합니다. 하지만 그 엄청난 위력만큼 사용에 주의하지 않으면 외려 자신이 폭사할 수도 있으니 거듭 신중히 사용하시기 바랍니다."

"알겠습니다."

장백두는 잠시 생각하다가 말을 이었다.

"이건 제가 모두 가지고 있을 필요가 없을 것 같군요. 저와 형문오공(荊門五公)께서 하나씩 나눠 가지고 있는 게 훨씬 나을 것 같습니다."

장백두는 다섯 노인을 돌아보며 그렇게 말했다.

저 관록과 연륜의 형산파를 제치고 새로운 오대검파 중 한 자리를 차지한 신흥 명문가 형문파, 그 형문파에서 가장 강한 인물을 꼽으라면 누구나 입에 담는 별호가 바로 형문오공이었다.

그들은 형문파를 세우고 성장시켜서 지금 이 자리에 오르게 만든 개국공신이자, 기존의 구파일방을 비롯한 정파의 명문세가들이 형문파를 오대검파 중 하나로 인정하게 한 장본인들이었다.

순양건을 쓴 노인은 순양고검(純陽孤劍)이라 불리는 인물로, 도가 계열의 검법을 사용하였다. 뇌건의 노인은 풍참십팔검(風斬十八劍)이라는 자로, 바람마저 베는 그의 십팔 연환검(連環劍)을 막아 낸 자는 지금껏 없었다고 알려져 있었다.

다른 세 명의 노인은 각자 파검군자(破劍君子), 오행검옹(五行劍翁), 취화검선(醉花劍仙)이라는 별호를 지닌 인물들이었다.

원래 형문파 소속이 아니었던 그들을 전대 장문인이 삼고초려해서 모셔와, 그들과 함께 형문파의 기존 검법을 수정, 보완하여 새롭게 만들었다.

다섯 노인 형문오공은 각자 쾌검, 중검, 환검 등에 뛰어난 재주가 있어서 그 각각의 장점이 형문파의 검법에 녹아들었고, 이후 형문파의 제자들은 급속도로 무위가 향상하여 불과 수십 년 만에 형문파는 무림 오대검파 중 하나로 우뚝 서게 되었다.

형문오공과 함께 온 이십여 명의 중년인들은 그 형문오공이 심혈을 기울여 키운 제자들로, 형문파 모든 전력의 절반이라고 과언이 아니었다.

"다들 휴식을 원치 않으시니 바로 본론으로 들어가죠."

장백두는 형문오공이 나눠 받은 천붕지멸폭뢰를 조심스레 갈무리하는 걸 지켜보면서 입을 열었다.

"우리가 상대할 자는 모두 다섯 명입니다. 한 명의 노인과 한 명의 중년 사내와 삼십 대의 여인, 그리고 아마도 청년으로 짐작되는 두 명의 사내입니다."

장백두는 그간 악양부에서 일어났던 일들에 대해서 핵심만 짚어 간략하게 설명했다.

형문오공을 비롯한 형문파 제자들은 안색을 굳힌 채 그의 이야기를 들었다. 그리고 그들 중 한 명이 구천자를 살해하고 저 무정검왕에게 중상을 입혔다는 이야기에는 다들 표정의 동요를 감추지 못했다.

"어쨌든 저는 장사 위지휘사사의 군대가 갑자기 악양부로 입성, 굳이 남천로를 통과한 건 바로 저들과 관련이 있기 때문이라고 생각합니다. 즉, 놈들은 관군까지 동원할 힘이 있다는 거겠죠."

"으음."

누군가 희미한 신음을 흘리는 가운데, 장백두의 말은 계속해서 이어졌다.

"금해가나 태극천맹은 아직 놈들이 남천로 황계 안가에 몸을 숨기고 있을 거라고 생각하는 모양이지만 제 생각은 다릅니다. 장사 위지휘사사의 군대가 남천로를 지나는 순간, 놈들은 어떤 식으로든 그들과 합류해 이미 그곳을 떠났을 겁니다."

"그럼 장사 위지휘사사의 군대는 지금 어디에 있습니까?"

순양고검의 질문에 장백두는 빙긋 웃으며 대답했다.

"조금 있으면 이 객잔 아래를 지나 북문으로 빠져나갈 것입니다."

2. 소란스러운 악양부

"호오."

순양고검은 묘한 표정을 지었다.

지금 이들이 모인 곳은 북문 근처에 있는 삼 층 객잔 건물이었다. 이 객잔은 따로 별채가 없이 삼 층을 손님들이 묵는 숙소로 사용하는데, 장백두는 삼 층을 통째로 빌려 형문오공과 이십여 중년인들이 묵을 수 있도록 조치했다.

그런데 우연이라고 하기에는 기막히게도 잠시 후 이 객잔 밑으로, 북문으로 이어지는 큰길을 따라 장사 위지휘사사의 오천육백 병력이 이동한다는 것이다. 참으로 절

묘한 상황이라 할 수 있었다.

"그래서 아까 말씀드리기를 아주 딱 맞춰서 오셨다고 한 겁니다."

장백두는 웃으며 말했다.

"그리고 우리에게는 아주 좋은 기회가 될 겁니다. 분명 놈들은 북문을 빠져나갈 때까지 그 장사 위지휘사사의 부대에 합류해 있을 테니까요."

"그럼 그 부대를 미행하여 다섯 명을 찾아야 하는 겁니까?"

"그렇습니다. 하지만 그들과 절대 싸우시면 안 됩니다."

장백두의 말에 일순 형문오공과 중년 사내들의 표정이 딱딱하게 굳어졌다.

장백두는 이내 "아!" 하며 얼른 말을 이어 나갔다.

"그게 어르신들을 염려해서 드리는 말씀이 아닙니다. 사실 처음 급전을 보낼 때만 하더라도 어르신들을 모셔서 놈들을 상대하려 했습니다만 지금은 상황이 조금 달라졌거든요. 저들과 싸우는 건 조금 더 뒤로 미뤄도 괜찮을 것 같습니다."

순양고검이 장백두의 얼굴을 바라보며 물었다.

"왜 상황이 달라졌는지 물어봐도 되겠습니까?"

순양고검을 비롯한 형문오공은 처음부터 지금껏 장백

두를 향해 극존칭의 어투를 사용하고 있었다.

물론 장백두가 형문파의 소문주이기는 하지만, 형문오공의 배분이나 지위를 보건대 그렇게까지 극존칭을 사용하지 않아도 상관없을 것이다.

그럼에도 불구하고 이렇게 깍듯이 장백두를 예우하는데에는 분명 그럴 만한 이유가 있으리라.

장백두 또한 극존칭의 어투로 그들을 대했다.

"아직 말씀드리기는 그렇습니다. 단지 예전에 제가 여러 어르신께 말씀드렸던 바로 그 꿈을 이루기 위한 일련의 작업 중 하나라고 생각해 주시기 바랍니다."

"알겠습니다. 그리 말씀하시니 우리는 그저 그 다섯 명을 찾는 걸 우선해 보겠습니다."

"저 역시 한 번 그들과 손을 섞어 봤습니다만 결코 녹록한 자들이 아닙니다. 재차 부탁드리는데, 어쩔 수 없는 일이 발생하지 않는 한 결코 그들과 정면으로 부딪치지 마세요. 괜한 피를 흘릴 필요가 없으니까요."

"그리하겠습니다."

"그들의 용모파기를 말씀드리고 싶은데 또 어떤 식으로 변장을 했을지 모르겠습니다. 그러니 한 명의 노인과 한 명의 여인, 그리고 세 명의 사내. 이것만 참조하셔서, 일반 병졸들과 이질적인 기세를 풍기는 인물들을 찾아주시기 바랍니다."

"무정검왕에게 부상을 입힐 정도의 실력자들이라면 분명 그만한 기세를 풍길 것입니다. 아무리 기세를 숨기고 기척을 감춘다 하더라도 그 눈빛, 자세, 걸음걸이만큼은 숨기거나 감출 수 없습니다. 그러니 군대 안에 숨어 있다면 반드시 우리가 찾아낼 것입니다."

"부탁드립니다."

장백두가 깊게 허리를 숙였다. 형문오공과 중년 무사들도 깊숙하게 허리를 숙여 인사를 받았다.

때마침 멀리서 나팔 소리가 들려왔다. 장사 위지휘사사의 행렬이 드디어 이곳까지 온 것이다.

장백두는 자리에서 일어나 창가로 걸어갔다. 남쪽 큰길을 따라 오천육백 명의 부대가 행군하는 모습이 저 멀리에서 보였다.

"그럼 이제 내려가 봅시다."

장백두는 희미하게 미소를 지으며 중얼거리듯 말했다.

"과연 그들은 내 제의에 어떤 선택을 할지 심히 궁금하군그래."

* * *

"곧 여름이 시작되겠습니다."

"허허, 세월 참. 북풍한설 휘몰아치던 게 엊그제 같은데 벌써 이렇게 날씨가 더워지다니……. 정말이지 허투루 나이만 먹는 것 같소이다."

"무슨 말씀을요. 그래도 추 형은 번듯한 제자를 셋이나 훌륭하게 키워 냈잖습니까? 허송세월하는 건 우리들이지요."

"허허허. 훌륭하기는요. 모쪼록 어디서든 그저 한 사람 몫만 해낼 수 있기를 바랄 뿐입니다."

"허허, 겸손이 너무 지나치십니다."

"허허허, 그런가요?"

한 무리의 노인들이 대화를 나누며 악양부 북문을 통과하여 성내로 들어섰다. 그들은 마치 오래간만에 세상 구경을 나선 여객들처럼 느긋하게 길을 걸으며 사방을 둘러보았다.

"악양부도 많이 변했습니다. 근 십여 년 만에 찾아왔더니 어디가 어디인지 전혀 모르겠습니다그려."

"다들 그 정도 되지 않았습니까?"

"아, 저는 오륙 년 전에 한 번 왔었습니다. 지저갱 죄수들의 탈출 건 때문에 말입니다."

"아, 그런가요? 괜히 소 형께서 고생하셨겠습니다."

"아닙니다. 제가 왔을 때는 이미 모든 상황이 종료된 이후라 그저 술과 음식만 먹고 돌아갔었죠."

"그나저나 이곳 악양에는 뭔가 마가 낀 모양입니다. 당시 지저갱 탈출 건도 그렇고 이번 일도 그렇고…… 도대체 금해가가 하는 일이 뭐가 있는지 궁금하기 그지없습니다."

"그러니까요. 명색이 오대가문 중 하나라는 곳이 이렇게 툭하면 본 맹에 급서를 보내 원군을 요청하니 말입니다. 아무래도 초악, 그 친구가 살아 있을 때와는 많이 달라진 모양입니다."

"초 가주가 어디 무인입니까, 장사꾼이지."

"허허허. 너무하십니다. 그래도 명색이 오대가문 중 한 곳의 수장이신 분을……."

"글쎄요. 저는 왕 형의 말씀이 맞다고 생각합니다. 사실 초 가주는 본 맹을 거울로 삼아 천하 모든 상권을 아우르는 거대한 상맹(商盟)을 만들고자 하고 있잖습니까? 그게 장사꾼이 아니면 뭐가 장사꾼이겠습니까?"

"물론 그 부분에 대해서는 저도 불만이 많습니다. 초 가주의 돈 욕심을 두고 세상 사람들이 황금충(黃金蟲)이라는 별명을 지어 비웃고 있으니까요. 초 가주가 비웃음을 당하는 거야 상관없지만 결국 금해가를 넘어 오대가문까지, 그리고 태극천맹에게까지 피해가 오니까 말입니다."

"안 그래도 이참에 한 번 초 가주에게 은근하게 조언해 볼 참입니다. 매번 본 맹에 원군을 청하니, 제대로 된 무력을 키우는 게 나을 거라고 말입니다."

"허허허. 그건 너무 나가신 것 같습니다. 썩어도 준치라고, 그래도 초 가주는 엄연히 오대가문 중 하나인 금해가의 수장이 아니겠습니까?"

그렇게 초연하고 소탈한 모습으로 금해가 가주 초일방을 조롱하는 대화를 나누는 노인의 수는 모두 열둘. 금해가의 요청을 받은 태극천맹의 맹주 정문하가 심사숙고하여 선출한 원군이었다.

태극천맹의 원군은 그들이 전부가 아니었다.

백 명의 본산 고수와 호광성 부전주가 이끄는 사백 명의 무사들은 아직 성문 밖에서 줄을 선 채 입성을 기다리는 중이었다.

먼저 성내로 들어선 열두 명의 노인들은 곧 그들이 합류할 때까지 느긋하게 악양부의 변화한 모습을 감상하며 천천히 걷는 중이었다.

"음?"

문득 노인들의 시선이 남쪽 큰길로 향했다. 멀리서 나팔 소리가 들려왔던 것이다. 노인들은 눈을 가늘게 뜨고 그곳을 바라보았다.

"호오, 정말 소란스러운 악양부입니다. 이제는 군대까지 보게 되다니 말입니다."

"그러니까요. 규모를 보아하니 어딘가의 위지휘사사가 통째로 이동하는 모양입니다."

"수십 년 전 있었던 전란(戰亂) 이후로 이렇게 눈앞에서 직접 수천 명의 부대가 이동하는 걸 보는 건 처음입니다."

"정말 재미있는 악양부입니다. 음?"

웃으며 이야기를 하던 노인의 눈빛이 일순간 서늘하게 빛났다. 바로 곁에서 함께 걷고 있던 노인이 의아한 표정을 지으며 물었다.

"무슨 일이라도 있습니까, 추 형?"

"저기 저 노인네들, 형문오공이 아닙니까?"

"누구…… 아, 그렇군요."

노인들은 추 형이라 불린 노인이 가리키는 방향으로 시선을 돌렸다. 맞은편 거리에는 다섯 명의 노인과 수십 명의 중년인들이 막 객잔을 빠져나오고 있었다.

"호오. 이것 참. 정말 오늘의 악양부는 어수선하기 그지없습니다. 저 고집쟁이 늙은이들마저 보게 되다니 말입니다."

"흠, 저는 형문오공과 그리 좋은 추억이 없어서……."

"그런가요? 하기야 어느 누가 형문오공처럼 고집 세고 자신들만 아는 노인네들과 좋은 추억이 있겠습니까? 저도 그저 약간의 인연이 있어서 눈인사만 하는 사이입니다."

노인들이 두런두런 대화를 나누는 동안 위지휘사사의

행렬은 그들이 걷고 있는 거리를 지나쳐 갔다.

그들에 가려져 형문오공들의 모습이 사라졌고, 행렬이 노인들을 지나쳐 북문 쪽으로 이동할 즈음에는 그 어디에고 형문오공과 수십 명 사내들의 모습은 찾아볼 수가 없었다.

"참으로 공교로운 일입니다. 초 가주의 원군 요청에 위지휘사사의 행군, 거기에 독불장군 형문오공까지……. 역시 악양부는 마가 껴도 단단히 낀 모양입니다."

"으음, 아무래도 다들 조심하셔야 할 것 같습니다. 돌아가는 낌새가 너무 수상쩍게 느껴집니다."

"그래야겠습니다. 어쩌면 그 이야기가 사실일지도 모르겠습니다."

일순 노인들의 표정이 진지하게 변했다.

"그 이야기라면, 역시 무정검왕 말씀이시겠죠?"

"그렇습니다. 저는 지금까지 무정검왕이 중상을 입었다는 이야기를 믿지 않았습니다만……."

"그건 저도 마찬가지입니다. 아무리 다섯 명이 협공을 했다 하더라도 천하의 무정검왕에게 중상을 입히다니요. 만에 하나 그게 사실이라면 분명 뭔가 암기나 더러운 술수를 사용했을 겁니다."

"흠, 하지만 그 와중에 구천자도 목숨을 잃었다고 하지 않았습니까?"

"그것도 조금 의아합니다. 그 자리에는 구천자와 운룡신창, 홍염철검, 거기에 멸절사태와 무정검왕까지 있었다고 하던데, 천하의 어느 누가 있어서 그들 다섯을 상대할 수 있겠습니까? 분명 뭔가 전달하는 과정 중에 와전된 게 분명합니다."

"뭐, 그것들은 금해가로 가서 초 가주에게 직접 들어보면 알게 될 일이니, 예서 가타부타 논쟁할 필요는 없을 것 같습니다."

"그렇기는 합니다만……."

"아, 이제 다들 검문검색을 통과한 모양입니다. 저기 사람들이 오는군요."

노인들은 뒤를 돌아보았다.

수백 명의 무리들이 막 북문 밖으로 빠져나가는 오천육백의 군대와 엇갈리며 성내로 들어서고 있었다.

3. 어떤 관계일까

"제대로 따라잡았네요."

마차 밖의 상황을 살펴보던 양수아의 말에 천소유는 가볍게 미소를 지었다.

"우리가 급하게 움직인 것도 있지만 다들 산천(山川)

유람을 하면서 왔나 봐요."

"그러니까요."

양수아는 문득 한숨을 쉬며 재차 입을 열었다.

"워낙 군림천하(君臨天下)의 시간이 오래되고 평화가
지속되는 바람에 다들 나태해진 것 같습니다."

"그럴 수도 있겠네요."

"아직도 공적십이마들은 건재하고 구천십지백사백마도
절반 이상 생존해 있는데…… 이렇게 마냥 평화를 구가
하다가는 자칫 크게 뒤통수를 얻어맞을지도 몰라요."

"문제는 그뿐만이 아니라는데 있어요."

천소유는 게서 말을 끊고 창을 통해 악양부 거리를 둘
러보았다.

그녀가 탄 마차 옆으로 수백 명의 무림인들이 걷고 있
었다. 그들은 곧 열두 명의 노인과 합류하여 함께 움직이
기 시작했다.

"금해가로 가는 거겠죠?"

양수아의 물음에 천소유는 가볍게 고개를 끄덕였다. 양
수아가 재차 물었다.

"그럼 우리도 금해가로 갈까요?"

천소유가 미소를 머금으며 말했다.

"오래간만의 외출이라 그런지 평소보다 말이 많네요?"

"죄, 죄송합니다."

양수아는 얼굴을 새빨갛게 물들인 채 황급히 고개를 숙이며 사과했다.

"아니, 사과를 받으려고 한 말이 아니에요."

천소유가 부드럽게 웃으며 말을 이었다.

"그저 평소의 침착하고 냉정하기 그지없던 양 단주가 이렇게 들뜬 모습을 보여 주는 게 색달라서 한 말이었어요."

"그, 그런가요? 사실 악양부는 처음이라……."

"아, 처음 와 봐요?"

"네. 본산 밖으로 나와 본 적이 별로 없거든요."

양수아는 살짝 부끄럽다는 듯이 말했다.

그녀의 오라버니 양명천과는 달리 양수아는 대내 감찰과 첩보, 정보를 다루는 임무를 책임지고 있었다. 그런 연유로 비선에 들어온 이후로는 늘 태극천맹의 본산에서 활동하며 밖으로 나가지 않았다.

"그렇군요."

천소유는 생긋 웃으며 말했다.

"그럼 이참에 좋은 구경 많이 했으면 좋겠네요."

"감사합니다, 선주."

"강서낭추 조태수의 경매가 내일이죠?"

"네. 내일 유시(酉時)라고 알고 있습니다. 신청한 자들 모두 동정호에서 저녁 식사를 하면서 함께 경매를 진행

한다고 합니다."

"동정호에서 저녁 식사라…… 풍류가 넘치네요."

"확실하지는 않지만 아마도 대형 화선을 준비한 모양입니다. 그렇게 배를 타고 동정호 넓은 물길로 나가게 되면 아무래도 불청객들의 간섭을 덜 받게 될 테니까요."

"풍류만 생각한 게 아니네요."

천소유는 새삼 조태수라는 자의 별명이 왜 낭추(囊錐)인지 깨닫게 되었다. 그녀는 웃으며 말을 돌렸다.

"어쨌거나 내일 유시라면 적어도 하루 정도의 시간이 비네요. 그동안 이곳저곳을 구경…… 음."

그녀는 말을 하다가 말고 입을 다물었다. 생각해 보니 마땅히 갈 곳이 없었던 까닭이었다.

물론 구경할 곳은 많았다. 동정호 기슭의 악양루(岳陽樓)나 굴원(屈原)을 추모하기 위해 멱라강(汨羅江) 기슭에 세운 굴자사(屈子祠)도 반드시 가 봐야 하는 곳들이었다.

또 군산(君山)에 있는, 저 요순시대의 순(舜) 임금의 두 비(妃)였던 아황(娥皇)과 여영(女英)의 무덤, 이비묘(二妃墓)도 감상할 가치가 있었다.

그러나 그 명승지(名勝地)들은 다 악양 외곽에 있었고, 이미 천소유들은 악양부 성내로 들어온 후였다. 다시 돌아가자니 시간 낭비가 컸고, 그래 봤자 오늘 하루 한 곳

정도밖에 구경할 수가 없었다.

"괜찮습니다."

양수아가 천소유의 눈치를 살피며 입을 열었다.

"어디까지나 업무가 먼저입니다. 사적인 건 모든 일이
끝난 후에 해도 늦지 않으니까요."

"미안해요."

"별말씀을 다하십니다. 그럼 이대로 금해가로 갈까요?
아니면……."

"수정루라고 했던가요?"

"네, 수정루의 운화(雲華) 조민이라고, 악양 내에서는
상당히 유명한 기녀입니다."

"그 근처의 객잔에서 짐을 풀기로 하죠. 그래야 그 조
민이라는 소저를 만나기 쉬울 테니까요."

"그렇게 하겠습니다."

양수아는 곧 마부에게 일러 수정루로 향하라 지시를 내
렸다. 쌍두마차는 곧 수정루가 있는 거리로 방향을 틀었
다.

"원래는 화화루(華華樓)였다고 합니다. 그런데 운화가
남창부에서 악양부로 파견되면서 때마침 화화루라는 명
칭이 수정루로 바뀌었다고 하더군요."

양수아는 오라버니 양명천으로부터 전해 들었던 이야
기들을 하나도 빠짐없이 천소유에게 전달했다.

"수정루 자체는 본 비선과 아무런 관련이 없는 기루입니다. 하지만 운화는 물론 그곳의 지배인과 몇몇 기녀들 모두 비선의 세작들입니다. 그러니 편하게 생각하셔도 무방할 것 같습니다."

"계획은 우리가 새로 온 기녀의 신분으로 수정루를 방문한다고 했던가요?"

"선주께는 상당히 무례하고 죄송스러운 일입니다."

"아니에요. 그런 신분이라면 아주 자연스럽게 내일 동정호의 화선에 올라탈 수 있으니까요. 좋은 계획이에요."

천소유의 칭찬에 양수아는 활짝 웃으며 말했다.

"내일 화선에 태울 기녀들이 부족해서 급하게 타 지역에서 모집했다는 설정입니다. 그러니 내일 아침 수정루로 가서 지배인과 운화를 만나면 됩니다."

"알겠어요."

그렇게 두 여인이 대화를 나누는 동안 쌍두마차는 오가는 행인들 사이로 천천히 이동하여 이윽고 한 객잔 앞에서 멈췄다. 마부가 얼른 마차의 문을 열었다.

"고마워요."

천소유가 마차에서 내리며 말하자 마부는 어찌할 바를 몰라 하며 허둥댔다.

"다른 이들은?"

뒤따라 마차에서 내린 양수아가 차가운 목소리로 묻

자, 마부는 허리를 숙인 채 대답했다.

"인근 백여 장 주변을 엄중하게 경계하는 중입니다."

"경계를 늦추지 말라."

"명심하겠습니다."

"그럼 제가 모실게요."

양수아는 마부를 뒤로하고는 서둘러 객잔 안으로 들어섰다. 천소유는 잠시 걸음을 멈추고 주위를 둘러보았다.

슬슬 날이 저무는 시각, 오가는 행인들의 발걸음이 분주한 가운데 수레를 끌고 혹은 지게를 지고 물건을 파는 행상들의 목소리도 더욱 크게 들려왔다.

무림인들에게는 더없이 급박하고 초조한 일들이 벌어지는 악양부였지만, 그래도 사람 살아가는 냄새가 진하게 나는 거리였다.

"별채를 구했습니다."

양수아가 밖으로 나와 말하자, 천소유가 고개를 끄덕였다.

그때였다.

"어이쿠, 실례하오."

때마침 객잔으로 들어서려던 한 노인과 양수아가 하마터면 부딪칠 뻔했다.

양수아는 바로 옆으로 몸을 비켰다. 뚱뚱한 체구의 노인은 무심코 양수아와 천소유를 돌아보다가 그녀들의 미모에 깜짝 놀란 듯 눈을 휘둥그레 떴다.

하지만 노인은 별다른 말 없이 서둘러 객잔 안으로 들어섰다. 그리고 노인과 엇갈리듯 점소이가 따라 나와 그녀들을 별채가 있는 후원으로 안내했다.

객잔 뒤쪽에 자리 잡은 후원은 행상들이 외치는 소리도 들리지 않아서 확실히 조용하고 고즈넉했다. 양수아가 구한 별채는 후원에서도 가장 안쪽에 위치한 별채로, 사방이 담으로 구획되어 있어서 마치 조그만 장원처럼 꾸며져 있었다.

"그럼 편히 쉬십쇼."

점소이가 사라진 후 두 여인은 각자의 방에 행낭을 던져 놓고는 한동안 침상에 누워 여독을 풀었다. 이윽고 해는 서쪽으로 기울었고 두 여인은 저녁을 먹기 위해 별채를 나서 객잔으로 향했다.

때가 때인지라 객잔은 술과 음식을 먹는 사람들로 붐볐다. 천소유와 양수아가 앉을 자리를 찾느라 두리번거리고 있을 때 조금 전의 점소이가 부리나케 달려와 말했다.

"이 층으로 모시겠습니다."

아무래도 이 객잔에서 묵는 손님들은 이 층을 사용하는 듯했다. 시장통처럼 붐비는 일 층과는 달리 이 층 대청은 확실히 한산했다.

하지만 창가 쪽에 마련된 대여섯 개의 탁자에는 이미 사람들이 모든 자리를 차지하고 있었다. 그중 한 탁자에는 일가족으로 보이는 대여섯 명의 사람들이 앉아 있었는데, 조금 전 객잔 입구에서 부딪칠 뻔했던 노인도 바로 그 자리에 있었다.

"죄송합니다만 보시다시피 창가 쪽은 이미 자리가 꽉 차서…… 이쪽으로 오시죠."

점소이는 천소유들의 양해를 구하며 그녀들은 대청 한가운데 있는 탁자로 안내했다.

"이곳에서 가장 잘하는 요리 두 개와 만두, 그리고 죽엽청을 가져오세요."

천소유의 말에 점소이가 웃으며 말했다.

"악양부는 예로부터 어미지향(魚米之鄕)이라고 불릴 만큼 물고기가 많고 또 맛있습니다. 그중에서 중화심(中華鱘:철갑상어)이라고 해서 제일 큰 물고기가 유명합니다. 또 제일 작으면서도 진귀하고 유명한 물고기로 은어(銀魚)가 있습니다. 이 두 가지 서로 다른 물고기를 함께 드시는 건 어떨까요?"

천소유가 살짝 고개를 갸웃거리며 물었다.

"여인 둘이 먹기에는 중화심은 너무 크지 않나요?"

다 자란 중화심은 대략 여섯 관(貫)에서 아홉 관이나 되었으니, 여인 둘은커녕 장정 열 명이 실컷 먹고도 남을 정도의 크기였다.

"중화심은 가장 맛있는 부위를 골라서 따로 요리하니,

남길 걱정은 하지 않으셔도 됩니다. 오히려 부족하다고 더 만들어 달라고 하실 것 같은데요."

점소이의 넉살에 두 여인은 웃으며 서로를 돌아보았다.

"그래요. 그렇게 가져다주세요."

천소유의 주문을 받은 점소이는 곧장 아래층으로 향했다.

"정말이지 말을 잘한다는 건 장사하는 데 있어서 큰 축복인 것 같아요."

양수아가 아래층으로 사라지는 점소이의 뒷모습을 바라보며 말했다.

"점소이의 말 몇 마디로 인해서 전혀 생각이 없었던 물고기 요리를 먹게 되니 말이에요."

"어디 장사뿐이겠어요? 사람 대하는 일이라면 어떤 자리에서든 빛을 발하는 게 언변이죠."

천소유가 그렇게 말할 때였다. 세 명의 점소이들이 커다란 접시들을 들고 이 층으로 올라왔다. 그 접시 중 하나에는 사람 몸뚱이만 한 커다란 물고기가 통째로 담겨 있었다.

"세상에나, 저게 중화심인가 뭔가 하는 물고기인가 보죠?"

중화심을 처음 본 양수아가 깜짝 놀라며 말했다.

"저것도 다 자란 중화심은 아니네요."

그렇게 대답한 천소유는 저도 모르게 피식 웃으며 중얼거렸다.

"저 사람들도 점소이의 말재주에 넘어갔나 보네."

점소이들이 들고 온 접시는 앞쪽 창가, 일가족이 모여 앉은 탁자 위에 내려졌다.

천소유는 가만히 그 일가족을 바라보았다.

뚱뚱한 노인과 작고 왜소한 노인, 중년 부부로 보이는 한 쌍과 소년, 삼십 대 중후반으로 보이는 사내와 눈이 확 뜨일 정도로 아름다운 여인.

'한 가족이 아니라 두 가족인가?'

천소유는 속으로 중얼거렸다.

하지만 보면 볼수록 이상하다는 생각이 드는 구성이었다.

언뜻 보면 가족 같아 보였지만 또 자세히 뜯어보면 왠지 수상쩍은 면이 없지 않았다.

저 중년 부부와 소년은 확실히 가족 같았지만 사내와 여인은 전혀 부부 같지 않아 보였다. 계속해서 요염한 미소를 보이며 치근덕거리는 여인과 그때마다 질색하며 펄쩍 뛰는 사내의 모습은 확실히 부부라고 하기에는 석연치 않았다.

'도대체 어떤 관계일까?'

쓸데없는 호기심이 천소유를 자극하고 있었다.

2장.
무위자연(無爲自然)

"덜고 또 덜어서 하는 게 없는 경지에 이르면,
하는 것이 없으면서도 하지 못하는 것이 없다는 말을 아는가?"
강만리는 살짝 얼굴이 붉어졌다.
"학문이 짧아서 들어 본 적이 없습니다."

1. 그 조직의 명칭이

"이게 중화심이라는 놈이로군."

강만리는 마치 호적수를 만난 눈빛으로 접시 위의 물고기를 내려다보며 중얼거렸다.

날렵하게 길쭉한 몸뚱어리가 온갖 향채(香菜)와 향신료와 함께 통째로 쪄진 채 접시에 담겨 있었다. 점소이 말을 빌리자면 살은 담백하고 연골은 씹히는 식감이 좋으며 특히 등골이 별미라고 했다.

점소이의 설명을 듣던 중 만해거사는 "아, 중화심 그 녀석 진짜 맛있지. 특히 알은 진미라고도 할 수 있어."라면서 군침을 흘렸고, 유 노대도 "그러고 보니 십 년 전에

먹은 게 마지막이었나?" 하면서 회상했다.

"피부에도 좋다는 이야기가 있어서 여인들의 입장에서 보면 정말 고마운 물고기죠."

심지어 나찰염요까지 그렇게 말하자 담호는 눈을 반짝이며 제 부친을 쳐다보았고, 아직 중화심을 먹기는커녕 본 적도 없는 강만리 또한 저도 모르게 침을 꿀꺽 삼켰다.

"사람 수를 보아하니 아무래도 큰 놈으로 한 마리 드셔야 할 것 같네요. 게다가 상당히 잘 드실 것 같은 분이 두 분이나 계시고요. 찜이나 탕이 있는데 역시 찜이 맛있습니다."

강만리는 점소이의 이야기 속에 왠지 찜찜한 말이 섞여 있는 듯한 기분을 느꼈지만 개의치 않고 말했다.

"그럼 찜으로 중화심 한 마리."

"네. 맛있게 해서 올리겠습니다."

그렇게 해서 지금 탁자에 올라온 중화심 찜 요리였다.

중화심, 즉 철갑상어는 이름과 달리 상어도 아니고 철갑의 비늘을 두르지도 않았다. 호수 등 민물에서 살지만 바다와 민물을 자유롭게 오가는 종도 있다.

워낙 오래 사는 종이라 백 살이 넘게 사는 철갑상어도 종종 볼 수 있는데, 그래서 철갑상어를 먹으면 불로장생한다는 미신도 있었다.

특히 파양호와 동정호의 철갑상어가 유명해서 어지간한 미식가는 반드시 한 번 정도는 먹어 봐야 했다.

점소이는 솜씨 좋게 철갑상어를 해체했다. 머리를 자르고 몸통을 반으로 갈랐다. 철갑상어는 그 부위마다 고기맛이 다르고, 또 뼈와 연골, 등골 등 또한 나름대로의 맛과 식감을 가지고 있어서 버릴 곳이 하나도 없는 식재료였다.

점소이는 배 부위, 등 부위, 볼살과 아가미살 등 각 부위의 살을 떼어 낼 때마다 설명했다.

"이게 가장 귀하고 맛있는 부분입니다."

"이 부위의 살은 조금 기름지고 단단합니다. 쫄깃쫄깃하다고나 할까요."

"연골은 오도독 씹는 맛이 아주 좋습니다."

사람들은 점소이가 접시에 건네주는 살점을 집어 먹으며 연신 고개를 끄덕이고 감탄했다. 강만리는 망설이다가 겨우 용기를 내어 한 점 집어먹었다. 이내 그의 좁쌀만 한 눈이 커졌다.

"오오, 생각보다 맛있네."

"생각보다 훨씬 맛있을 겁니다. 워낙 겉모습이 무섭고 두렵게 생겨서 다들 처음에는 겁내 하거든요. 아, 여기 귀한 알이 있네요. 누구를 드려야 하죠?"

점소이의 말에 사람들이 앞다퉈 자신에게 달라고 말했다.

'욕심들 하고는.'

강만리가 가볍게 눈살을 찌푸리며 말했다.

"아호가 먹지그래."

"그래도 되나요?"

담호가 호기심 반, 기대 반의 눈빛을 반짝이며 물었다.

"물론이다. 네가 제일 고생했으니 그럴 자격이 있다."

강만리의 말에 점소이는 담호의 그릇에 철갑상어의 알을 올려놓으며 설명했다.

"한 알에 십 년의 건강과 생명이라는 소리가 있을 정도로 몸에 좋습니다. 자양강장의 보약이면서 또 사내에게는 정력을, 여인에게는 미모를 선사하는 귀한 보물이라고도 한다죠."

담호는 잔뜩 기대하는 표정을 지으며 철갑상어의 알을 먹었다. 강만리를 비롯한 사람들의 시선이 온통 담호에게로 쏠렸다. 한참을 씹던 담호는 눈을 동그랗게 뜨며 점소이를 쳐다보았다.

"어라? 그리 맛있지는 않은데요? 탱탱한 것도 아니고, 그렇다고 쫀득한 것도 아니고……."

점소이가 웃으며 말했다.

"맛은 사실 그리 대단할 게 없습니다. 말하기 좋아하는 미식가들이야 철갑상어의 알에서 열여덟 가지의 맛을 찾지 못한다면 먹는 사람의 잘못이라고까지 이야기하지만,

우리 같은 일반 사람들에게는 그저 평범할 물고기 알일 뿐이죠. 단지 그 효능만큼은 사실이라고 생각합니다."

점소이의 언변은 유창했고 손님을 접대하는 솜씨도 뛰어나, 처음 철갑상어를 접하고 철갑상어의 알을 먹어 보는 이들의 체면을 살려 주면서 또 철갑상어를 맛있게 먹을 수 있도록 도와주었다.

그 덕분에 강만리 일행은 만족해 하며 저녁 식사를 마칠 수 있었다. 점소이들이 다시 올라와 빈 그릇들을 치웠다.

강만리는 배를 쓰다듬으며 주위를 둘러보다가, 문득 두 명의 여인이 마주 앉아서 식사하는 모습을 보았다. 그녀들 또한 철갑상어의 한 부위로 보이는 물고기찜과 은어 요리를 맛있게 먹는 중이었다.

'아, 은어도 있었구나.'

그것도 시켜 먹어 볼걸 하는 아쉬움에 입맛을 쩝쩝 다시던 강만리는 문득 눈을 가늘게 떴다. 그가 바라본다는 걸 눈치챈 듯 여인들이 강만리 쪽으로 시선을 돌렸던 것이다.

서로의 눈빛이 마주쳤다. 강만리는 살짝 고개를 숙이며 가볍게 인사했다. 우아하고 기품 넘치는 미인도 살짝 미소를 지으며 고개를 까닥였다.

하지만 맞은편의 매서운 눈빛을 지닌 미녀는 날카로운

시선으로 강만리를 쏘아보았다. 그녀의 눈빛에서는 경계심을 뛰어넘어 강한 적대심까지 느껴질 정도였다.

'허어, 내가 뭘 잘못했다고.'

강만리는 속으로 혀를 차며 시선을 거두고 고개를 돌렸다.

그때였다. 옆자리에 앉아 있던 담우천이 낮은 목소리로 강만리에게 말을 건넸다.

"자네도 눈치챘나 보군."

'네?'

강만리는 무슨 말인가 싶었다. 담우천은 차를 마시는 척하면서 말을 이었다.

"객잔 주변에 십여 명의 인물들이 은신해 있네. 아마도 저 두 여인, 아니 정확하게 말하자면 연분홍빛 옷을 입고 있는 저 여인을 호위하는 자들인 것 같네."

연분홍빛 옷이라면, 조금 전 강만리를 향해 마주 인사했던 그 우아하고 품위 있는 미인을 가리켰다.

"몸을 숨기고 있는 자들의 실력이 상당히 뛰어난 걸로 보아 저 여인의 신분이 범상치 않은 것 같군."

'호오.'

강만리는 담우천의 이야기를 들으며 천조감응진력을 끌어올려 자신의 모든 감각을 극대화시켰다.

그러자 지금 식사를 하고 있는 객잔 지붕과 벽, 창밖

등에서 조금 전까지 전혀 눈치채지 못했던 열두 개의 기척이 은신해 있는 게 느껴졌다.

또한 조금 전 자신을 노려보았던 표독스런 눈빛의 여인이 상당한 실력자라는 사실을 뒤늦게 알아차렸다.

'허어.'

강만리의 표정이 굳어졌다.

현재 담우천의 몸 상태는 정상이 아니었다. 상당한 중상에서 막 회복하는 참이었다. 그런데도 강만리보다 먼저 저 기척들을 눈치채고 있었다.

'그런데 나는 그깟 중화심 따위에 정신이 팔려 있었다니.'

도대체 지금 나는 뭐 하고 있는 걸까.

수련이 부족하고 경험이 적다는 건 이제 변명거리가 되지 않았다. 이러다가는 죽기 직전까지 더 배워야 해, 하고 스스로 반성하고 있을 수도 있었다.

물론 배움의 길은 끝이 없지만, 마냥 배우고 있을 수만은 없었다. 실수는 경험 부족이라는 표현으로 포장할 때도 이미 지났다.

강만리의 상대는 오대가문이었다. 아니, 거기까지 가지 않아도 지금 그의 눈앞에는 금해가가 있었다. 악양부는 금해가의 소굴, 즉 강만리는 호랑이 굴에 들어와 있는 셈이었다.

정신 제대로 차려야 했다. 철갑상어가 어떻고 은어가
어떻고 할 때가 아니었다.

강만리는 새삼 결의를 다지면서 입을 열었다.

"어느 쪽 인물인지 아시겠습니까?"

"글쎄."

담우천은 그새 차 한 잔을 비우고 내려놓았다. 맞은편
자리의 나찰염요가 얼른 찻주전자를 들고 한가득 따라
주었다. 모락모락 김과 함께 향긋한 향기도 피어올랐다.

"조금 전부터 생각해 보고 있었는데 전혀 모르겠네."

"그렇군요."

강만리는 잠시 생각했다.

'풍기는 기품이나 기세를 보건대 사마외도 쪽 인물은
아닌 것 같다. 구파일방의 제자도 아닌 것 같고, 그렇다
면 역시 오대가문이나 신주오대세가 혹은 태극천맹의 인
물이겠지.'

신주오대세가 사람은 아니다. 그들은 따로 호위를 두고
움직이지 않으니까.

그렇다면 오대가문은?

오대가문의 여인이 어떤 식으로 강호를 돌아다니는지
들어 본 적이 없으니 알 도리가 없다. 일단 넘어가 두자.

태극천맹 소속일 가능성은?

꽤 높다. 예전의 정유도 그랬지만 높은 직책의 인물 곁

에는 언제나 그를 보좌하고, 또 그를 호위하는 무사들이 있었다. 딱 지금 저 우아한 여인의 모습처럼.

'역시 태극천맹 소속일 가능성이 높다.'

그렇다면 이번 사태로 인해 금해가를 도와주러 온 원군 중 한 명일까.

'아니, 그건 아닌 것 같다.'

주변에 은신해 있는 자들의 무위나 보좌하는 여인의 실력을 보건대 확실히 고위직 인물인 듯 보였지만, 그녀 자체는 그리 강하게 느껴지지 않았다.

'물론 내 천조감응진력을 속일 정도의 절대 고수일 가능성도 없지는 않겠지만.'

그러나 만약 그녀가 그 정도 가공할 실력자라면 담우천이 먼저 이야기를 했을 것이다.

'고위급 실무직 인사이겠군. 무공보다는 머리를 쓰는 쪽의 일을 하는…….'

거기까지 생각이 미치자 강만리의 뇌리에 문득 태극천맹의 한 조직이 떠올랐다.

대외 정보를 수집하고 대내 비리를 감찰하는 조직.

확실히 그런 조직에서 순간적인 판단과 매서운 결단력으로 지시를 내리는 일을 한다면, 굳이 무공이 뛰어날 필요는 없을 것 같았다.

가만있자.

강만리는 기억을 더듬었다.

'그 조직의 명칭이 비선이라고 했던가?'

2. 몸에서 힘을 빼라

확실히 철갑상어는 맛있었고, 은어 요리는 그보다 더 맛있었다. 요 며칠뿐만 아니라 지난 몇 년간을 통틀어 봐도 매우 만족스러운 식사였다.

죽엽청도 이날 따라 매우 향이 깊고 달아서 천소유는 제법 많은 술을 마셨다.

평소 술을 즐기는 편도 아니고 주량도 센 편이 아니지만, 분위기도 좋고 음식도 맛있어서 그런지 조금도 취하지 않고 외려 눈빛이 더욱 깊고 맑게 빛났다.

반면 양수아는 요리나 술이 아닌, 뭔가 다른 것에 더 신경이 쓰이는 듯 제대로 식사에 집중하지 못했다. 그녀는 틈틈이 날카로운 주변을 힐끗거렸고, 못마땅하다는 표정을 지으며 입술을 달싹거리기도 했다.

이윽고 식사가 끝났다. 천소유는 죽엽청 한 병을 더 마시려고 했지만 양수아가 먼저 자리에서 일어나며 말했다.

"이제 가시죠."

천소유는 가볍게 눈살을 찌푸렸다가 곧 그녀를 따라 자

리에서 일어났다. 그녀들이 계단을 따라 아래층으로 내려올 때까지도 창가의 일가족은 여전히 그 자리에 앉아 있었다.

천소유는 다급하게 걸음을 옮기는 양수아의 뒤를 따라 별채로 향했다. 이윽고 별채 객청에 들어선 천소유는 문을 잠그고 창밖으로 주변을 살피는 양수아에게 물었다.

"무슨 일이에요?"

양수아는 여전히 창밖을 내다보며 말했다.

"아까 그 창가의 일가족 말이에요. 아무래도 평범한 가족이 아닌 것 같거든요."

"아."

천소유는 객청 차탁에 앉으며 방긋 웃었다.

"그래요. 나도 느꼈어요. 상당한 고수들 같더라고요."

"그렇죠?"

양수아가 쪼르르 다가와 그녀의 옆자리를 차지하며 말했다.

"특히 그 두 노인, 절대 범상치 않은 고수들이었어요. 뭐랄까, 원로회에서도 서열 상위자들에게나 있을 법한 품위와 기도가 느껴졌습니다."

"그야 세상에는 고수들이 많으니까요. 그리 특별할 것도 아니죠."

"하지만 현 악양부 상황이 평범하지 않잖습니까?"

"음……."

"그리고 우리 쪽을 쳐다보던 그 멧돼지같이 생긴 사내도 절대 만만치 않아 보였습니다. 또 두 명의 여인도 상당한 기세를 풍기고 있었고, 심지어 그 어린 꼬마조차도 나름대로 기초가 잡혀 있었습니다."

"아, 그 꼬마 하니까 생각이 나네요. 정말 귀여웠죠? 저대로 몇 년 더 지나면 세상 많은 여인들이 그 꼬마 때문에 밤잠을 이루지 못할 거예요."

"선주, 농담하는 게 아닙니다."

"그래요. 나도 농담하는 게 아니에요."

천소유는 부드럽게 미소 지으며 말했다.

"살피고 관찰하고 주의하면서 경계심을 풀지 않는 건 나쁘지 않아요. 아니, 당연히 그래야죠. 하지만 경계심이 지나쳐서 풀을 보고 놀라거나 솥뚜껑을 보고 기겁할 필요는 없다는 거예요."

양수아는 입술을 꽉 깨물었다. 천소유는 차분한 어조로 말을 이었다.

"물론 그들이 천하의 악적(惡賊)일 수는 있어요. 또 어쩌면 금해가 쫓는 그 다섯 명일지도 몰라요. 물론 사람 수는 다르지만. 하지만 어쩌겠어요? 의심이 간다고 해서 다짜고짜 그들을 잡아 묶고는 고문할 수도 없잖아요? 그저 경계하고 또 주의하면서 지켜볼 수밖에요."

"제 말이 바로……."

"그래요. 그들을 감시하는 건 십이사자(十二使者)들에게 맡기면 돼요. 우리는 내일 있을 경매에 집중하고요. 만약 내 추측대로라면 그들 다섯 명 중 최소한 한 명 이상이 내일 경매에 참석하게 될 테니까요."

천소유의 말에 양수아는 살짝 이맛살을 찌푸리며 물었다.

"과연 그들이 올까요? 악양부 곳곳에 금해가와 태극천맹의 천라지망이 펼쳐져 있는데요?"

"올 거예요."

천소유는 웃으며 그렇게 말하고는 문득 고개를 갸웃거리며 말을 이었다.

"참, 그 아가씨 이름이…… 조민이었죠?"

"네. 운화 조민입니다."

"내일은 하루 종일 조 아가씨와 함께 있어야 해요. 그들의 얼굴을 아는 사람은 강서낭추를 제외하고는 오직 조 아가씨뿐이니까요."

"안 그래도 그리 조치해 두었습니다."

"그럼 내일 하루 종일 일을 하기 위해서라도 오늘 푹 쉬도록 해요. 귀찮은 일은 십이사자에게 모두 맡기고요. 설마 십이사자를 믿지 못하는 건 아니겠죠?"

"아닙니다."

양수아는 황급히 고개를 저으며 말했다.

"그들을 믿지 못한다면 세상 그 누구를 믿을 수 있겠습니까?"

"그래요. 그럼 나도 자러 가야겠네."

천소유는 자리에서 일어나다가 비틀거렸다.

양수아가 황급히 일어나 그녀를 부축했고, 천소유는 헤헤 웃으며 머쓱한 표정을 지었다.

"아무래도 술이 과한 모양이네요."

"많이 자셨습니다. 제가 안내할게요."

양수아는 천소유를 부축한 채 방으로 이동했다. 그녀는 천소유가 잠자리에 드는 걸 확인하고 조심스레 문을 닫았다.

복도를 따라 다시 객청으로 나온 그녀는 한동안 가만히 자리에 앉아서 상념에 빠졌다.

제법 시간이 흐른 뒤 양수아는 자리에서 일어나 창가로 다가가 소곤거렸다.

"비월(秘月)은 어디에 있죠?"

창밖에서 희미한 목소리가 들려왔다.

"수정루와 이곳 객잔을 중심으로 반경 백여 장 안에 포진되어 있습니다."

양수아는 이미 생각해 둔 바가 있다는 듯이 빠르게 지시를 내렸다.

"그중 절반의 인원을 이곳 별채 쪽으로 붙여 주세요.

만에 하나를 대비해서 말이에요."

"그렇게 하겠습니다."

"그리고 조금 전 객잔 이 층에서 봤던 그 대가족 말이에요. 어디에서 묵는지, 어떤 사람들인지 한번 확인해 주세요."

"그렇게 하겠습니다."

"부탁드려요."

"존명."

대답한 기척이 순식간에 사라졌다. 대신 또 다른 기척이 그 자리를 차지하고 주위를 경계했다.

양수아는 크게 고개를 끄덕이고는 다시 자리로 돌아왔다.

그녀에게 있어서 세상 그 무엇보다, 오대가문이나 태극천맹 같은 것보다 더 귀하고 중요한 것은 바로 천소유의 안전을 지키는 일이었다.

당연히 무엇이든 할 수 있고, 또 해야만 했다. 그리고 의심이 가는 건 처음부터 배제하는 게 옳았다. 설령 그게 천소유의 뜻과 다르다 할지라도.

양수아의 표정이 표독스럽게 변했다.

* * *

"두 채를 빌릴 걸 잘못했나?"

만해거사가 머리를 긁적이며 중얼거렸다. 창가에 서서 밖을 내다보던 강만리가 고개를 저으며 말했다.

"아닙니다. 괜히 분산되는 것보다 이렇게 모여 있는 게 훨씬 낫습니다."

"하지만 방이 적어서……."

일반적으로 객잔의 별채는 두 개의 방과 하나의 객청으로 구성되어 있었다. 조금 큰 별채는 방이 네 개짜리도 있기는 했지만, 그런 별채는 이미 손님들로 가득 차 있었다.

"끼어서 자면 되지 뭐."

유 노대가 곰방대를 청소하며 말했다.

"사내들이 한 방, 그리고 담 장주 내외와 담호가 한 방. 이러면 되잖나?"

만해거사가 눈살을 찌푸렸다.

"자네 코 고는 소리를 들으면서 잠자라고? 됐네. 나는 이곳 객청에서 자겠네."

"어라, 사돈 남 말 하시네. 자네는 코뿐만 아니라 이까지 간다니까."

"헛소리 말게. 내가 갈 이가 어디 있다고 갈겠나?"

"허어. 진짜 지금까지 모르고 있었나? 자네가 뿌드득, 뿌드득 하고 이를 갈 때마다 온몸에 소름이 돋았는데."

유치찬란한 말싸움이 계속되자, 강만리는 슬그머니 객

청 문을 열고 밖으로 나갔다.

바람은 시원했고 달빛은 맑았다.

세월은 물처럼 흐르고 있었다. 며칠 전만 하더라도 으슬으슬 떨릴 정도로 밤바람이 차가웠는데 어느새 시원하고 여겨질 정도의 계절로 바뀐 것이다.

강만리는 뒷짐을 진 채 정원을 서성거리다가 문득 뒤를 돌아보았다. 담우천이 객청 문을 열고 나오는 중이었다.

강만리가 피식 웃으며 말했다.

"형님도 어르신들 말싸움이 지겨워져서 나오셨습니까?"

"음?"

담우천은 살짝 고개를 갸웃거리며 대답했다.

"바람 좀 쐬러 나왔네."

"아, 그러셨군요."

강만리는 머쓱한 표정을 지으며 담우천이 다가오기를 기다렸다가 다시 입을 열었다.

"몸은 좀 어떻습니까?"

"좋네."

담우천은 담담하게 말했다.

"그 어느 때보다도 가장 좋은 것 같아."

"네? 진짜로요?"

"내가 어디 농을 할 사람인가?"

"그야 그렇죠. 하지만 믿기 힘드네요. 아직 채 완쾌되지 않으신 줄 알고 있는데."

"그래서 더 좋은 것 같네."

담우천의 말에 강만리는 이해가 가지 않는다는 듯이 고개를 갸우뚱거렸다. 그와 나란히 서서 달을 쳐다보던 담우천은 천천히 강만리를 돌아보며 말을 이었다.

"물론 아직 완쾌되지 않았네."

강만리는 고개를 끄덕였다.

"알고 있습니다."

"내 오감은 완벽하게 돌아오지 않았고, 내상의 흔적도 여전히 남아 있네."

"그렇다고 들었습니다."

"어쩌면 다치기 전의 절반 정도밖에 무공을 사용하지 못할 것이야."

"그럴 거라고 생각했습니다."

"하지만 그 어느 때보다도 최고의 상태라네."

"그러니까요. 그게 이해가 가지 않는다는 겁니다."

"한 번 엄중한 내상을 입고 나니까 비로소 몸에서 힘을 빼라는 말의 의미를 깨달았다는 뜻일세."

"몸에서 힘을 빼라?"

"그래. 나는 지금 반 정도 무기력한 상태이지. 노곤하고 기운이 없고 어깨가 축 늘어졌네."

"그건 눈으로 봐도 쉽게 알겠습니다."

"하지만 내공은 끊임없이 기맥을 따라 휘돌고 자유자재로 운용할 수가 있네."

"으음."

"어쩌면 이게 무위자연(無爲自然)의 모습이 아닐까 싶네. 덜고 또 덜어서 하는 게 없는 경지에 이르면, 하는 것이 없으면서도 하지 못하는 것이 없다는 말을 아는가?"

강만리는 살짝 얼굴이 붉어졌다.

"학문이 짧아서 들어 본 적이 없습니다."

"도가(道家)에 그런 말이 있다네. 또 그게 무위자연의 극의인 게고."

담우천은 담담한 어조로 말했다.

"어쩌면 나는 지금 그러한 경지에 이른 것 같네."

"허어."

강만리는 저도 모르게 한숨도 탄식도 아닌 소리를 냈다. 담우천은 차분하게 말을 이었다.

"기연이라면 기연일 수도 있고, 깨달음이라면 깨달음일지도 모르네. 그저 지금 나는 모든 게 하기 싫으면서도 또 마음만 일면 무엇이든 해낼 수 있는, 그런 기분일세."

"허어."

강만리는 다시 한번 이상한 소리를 냈다.

아무리 정신을 집중하고 들어도 도저히 이해가 가지 않

는 말이었다. 어쩌면 담우천이 내상을 입었던 게 아니라 머리를 다쳤던 건 아닐까 하는 생각도 들었다.

담우천은 가만히 강만리를 바라보다가 묘한 미소를 머금으며 말했다.

"이해가 가지 않나 보군."

"네, 이 우둔한 동생의 머리로는 도저히 이해가 가지 않습니다."

강만리가 빠르게 대답했다. 담우천이 웃으면서 말했다.

"내 말이 믿어지지도 않고."

강만리는 솔직하게 대꾸했다.

"지금 형님의 머리가 어디 이상한 게 아닐까 하는 생각을 하긴 했습니다."

"그럼 별수가 없지. 직접 보여 주는 수밖에."

담우천은 뒤로 두어 걸음 물러났다. 그리고 두 손을 늘어뜨리며 천천히 말했다.

"어디 한번 공격해 보게."

"네?"

강만리의 눈이 휘둥그레졌다. 담우천은 두 다리를 가볍게 벌린 채 미소를 지으며 말했다.

"내공을 사용해도 좋네. 전력을 다해서 덤벼 보게."

"아니, 아무리 그래도……."

강만리는 잠시 머뭇거리다가 순간 전력을 다해 주먹을 휘둘렀다.

우우웅!

순간적으로 끌어올린 막강한 내력이 실린 주먹이 바람소리를 내며 담우천의 얼굴을 강타했다. 그것은 쉽게 막을 수 없는 가공한 파괴력이 실린, 그렇다고 피하기도 벅찰 정도로 빠른 속도의 일격이었다.

하지만 담우천은 강만리의 가공할 위력이 실린 주먹을 피했다. 그리고 막았다.

강만리의 눈이 화등잔만 하게 커지는 순간이었다.

3. 동류(同流)의 냄새

"어어?"

강만리는 눈을 끔뻑거렸다.

직접 보고도, 당하고도 믿을 수가 없었다. 도대체 이게 말이나 되는 일인가.

천 근 바위도 박살 낼 위력이 실린 주먹이었다. 담우천의 틈을 노리기 위해 기습적으로, 화살보다도 빠르게 휘두른 일격이었다.

그 성난 파도와 같은 주먹에 맞선 담우천의 두 발은 전혀 움직이지 않았다. 그저 두 손을 들어 조그마한 원을 그렸을 뿐이었다.

강만리의 주먹은 그 원이 만들어 낸 희미한 파동에 스치듯 비껴갔고, 다시 그 원이 만들어 낸 소용돌이 속에 팔뚝이 갇혔다.

헛되이 허공만 가격한 강만리는 담우천의 손에 의해 팔뚝이 잡힌 채 꼼짝할 수가 없었다. 담우천은 미소를 지으며 강만리의 팔을 풀어 주었다.

강만리가 더듬더듬 물었다.

"무당파의 태극권 같은 것입니까?"

"비슷하기는 하지만 또 전혀 다르다네."

그렇게 말한 담우천은 문득 고개를 갸웃거리며 혼잣말로 중얼거렸다.

"어쩌면 만류귀종인 것인지도. 무당의 무공이나 소림의 무공이나 결국 그 극의에 도달하면 하나의 형태가 되는 것인지도······."

강만리는 답답하여 재차 물었다.

"그럼 그게 어떤 무공입니까?"

"응? 아, 곡즉전(曲卽全)이라는 것이네."

"곡즉전?"

강만리는 그 단어를 곱씹었다. 들은 것 같기도 하고 생전 처음 접하는 것 같기도 한 말이었다.

"언젠가 내가 이야기한 적이 있었을 텐데. 유주 땅 유랑객잔의 풍보 주인으로부터 이 곡즉전이라는 화두를 얻은 다음, 그것으로 일원검(一元劍)의 오의를 깨우쳤다고 말일세. 그래서 다른 형제들 또한 곡즉전이라는 화두로 각자의 오의를 찾아보라고 말일세."

담우천은 차분한 어조로 설명했다.

"아…… 그러고 보니 들은 것 같기도 합니다."

"나는 여태까지 그 곡즉전의 화두를 오로지 공(攻)으로만 생각했네. 하지만 다치고 나서 병상에 있는 동안 조금 생각이 바뀌더군. 세상에서 가장 완벽하다는 원이 오로지 공격으로만 사용될 리는 없다고 말일세."

공(功)으로 완벽하다면 수(守)에서도 완벽할 것이다. 또한 공과 수를 따로 나눌 필요는 더더욱 없을 것이다. 공수(攻守)가 하나로 조화를 이루는 바로 그 순간이야말로 가장 완벽한 것이므로.

"수비가 완성되어 있는데 굳이 공격을 할 필요가 없겠지. 반대로 완벽한 공격이 있는데 굳이 수비를 생각할 필요도 없을 테고. 수비와 공격이 하나가 되면, 그럼 아무것도 하지 않아도 되는 것이야. 바로 하는 것이 없으면서도 하지 못하는 것이 없는 경지인 게지."

무위이무불위(無爲而無不爲).

하는 것이 없으면서도 하지 못하는 것이 없다.

강만리는 담우천의 말이 이해가 갈 듯하면서도 또 이해가 되지 않았다.

'말은 맞는 말이지. 수비가 완벽한데 굳이 공격할 필요가 없지. 완벽한 공격을 펼칠 줄 안다면 또 굳이 수비까지 염두에 둘 필요가 없고. 그럼 완벽한 수비와 완벽한 공격을 동시에 할 줄 안다면, 반대로 공격도 수비도 할 필요가 없게 되는 거고. 그게 무위자연의 경지라는 건가? 공격이나 수비를 할 필요가 없으나 언제든지 완벽한 공격과 수비를 할 수 있는 경지. 뭐, 이런 의미이려나?'

그게 가능한지 불가능한지는 차치하고서, 억지로 이해를 하고자 들면 아마도 그런 경지를 뜻하는 것이리라.

물론 강만리는 직접 두 눈으로 보았다.

담우천이 그저 조그만 원 하나를 그리는 것만으로 완벽한 공수의 조화를 이루면서 자신의 공격을 피하고 외려 역습을 가한 그 움직임을, 강만리는 똑똑히 보고 몸으로 부딪쳤다.

만약 담우천이 만들어 낸 소용돌이가 강만리의 팔을 옥죈 상태에서 힘을 가했다면, 강만리의 팔은 그대로 두 동강이 났을 것이다.

"하지만 아직 불안정하네."

담우천의 말에 강만리는 퍼뜩 상념에서 깨어나 그를 돌아보았다. 담우천은 살짝 피곤해 보이는 얼굴을 하고서 천천히 말을 이어 나갔다.

"이건 심득(心得)의 경지라서 조금만 욕심을 부리거나 조금만 헛된 생각을 하게 되면 아지랑이처럼 흔들리며 자취를 감춰 버리지."

담우천은 무언가 떠올랐다는 듯이 고개를 끄덕이며 말했다.

"이제야 알겠네. 경지에 오른 도가의 선인(仙人)들이 왜 한없이 게으른지 말일세. 욕심을 부리지 않기 위해서 게을러지는 것이었다는 걸 말이지."

"허어."

강만리는 탄식했다.

이건 또 무슨 궤변이라는 말인가.

강만리는 골치가 지끈거리는 바람에 더 이상 생각하기도 싫다는 듯 고개를 휘휘 내저었다. 그러고는 얼른 마무리를 지으려고 입을 열었다.

"아휴, 됐습니다. 미련곰탱이인 저로서는 도저히 따라잡을 수 없네요. 그 이야기는 그만하기로 하죠. 어쨌든 형님이 이제 최강의 무인이라는 거 아닙니까?"

담우천은 부인하지 않았다.

'허어.'

강만리는 헛바람을 삼키며 담우천을 바라보았다.

'설마 진짜 그렇게 생각하는 건가?'

강만리는 다시 골치가 아파졌다. 그는 황급히 화제를 돌렸다.

"그나저나 예추와 군악은 도대체 뭘 하고 있는 걸까요?"

"글쎄."

담우천의 표정이 살짝 진중해졌다.

"안가에서 불온한 기척 하나를 감지했었는데 아무래도 그게 마음에 걸린다."

"불온한 기척이요?"

"그래. 워낙 흐릿하고 희미한 데다가 금방 사라져서 내가 착각을 한 게 아닐까 하고 넘어갔거든. 아까도 말했지만 아직 내 오감이 제대로 회복한 게 아니라서……."

"설마 그 불온한 기척에 당할 두 사람은 아니잖습니까?"

에이, 하는 표정을 지으며 묻는 강만리의 얼굴에 살짝 불안한 표정이 스며들었다.

그렇게 말하는 강만리도 잘 알고 있었다. 등 뒤에는 눈이 없다는 걸, 어둠 속의 칼과 보이지 않는 독침에는 견뎌 낼 장사가 없다는 걸. 그래서 더욱 불안한 것이기도 했다.

담우천도 그런 생각을 한 것일까. 그는 입술을 깨물었다가 입을 열었다.

"한 가지는 확실하네."

"뭡니까?"

"군악을 찾으러 갔던 예추도 아직 돌아오지 않고 있다는 것 말일세."

"그건 무슨 의미입니까?"

"군악과 예추가 아직 함께 있다는 뜻이지. 그리고……."

담우천은 힘주어 말을 이었다.

"천하의 그 어떤 살수도 그들 두 사람이 함께 있는 한 어찌할 수가 없을 것이네."

"저도 그리 생각합니다."

강만리는 애써 밝은 표정을 지으려 노력하며 말했다.

"그러니까 녀석들에 대한 걱정은 접어 두려고요. 녀석들도 생각이 있다면 아마 내일 있을 경매 장소로 올 겁니다. 우리가 그곳에서 기다리는 것 정도는 충분히 눈치챌 녀석들이니까요."

"그래. 나도 그리 생각하네."

담우천은 고개를 끄덕이며 말하다가 문득 뒤를 돌아보았다. 그들이 머무는 별채 뒤쪽으로 여러 채의 별채들이 각자 독립된 구역으로 나뉘어 있었는데, 담우천은 그중에서 가장 먼 곳에 있는 별채를 바라보며 눈을 가늘게 떴다.

강만리도 뭔가 수상쩍다는 걸 느낀 듯 담우천을 따라 고개를 돌렸다.

어둠 속, 별채마다 밝혀진 불빛이 마치 도깨비불처럼

흔들리는 가운데, 보이지 않는 무언가가 밤바람을 타고 날아가는 듯한 기분이 들었다.

강만리는 재빨리 천조감응진력을 펼치며 시각과 청각을 극한으로 높였다. 그제야 강만리는 들리지 않던 것들이 들리고 보이지 않던 것들이 보이기 시작했다.

바람 소리에 감춰진 파공성이 있었다. 수십 개의 검은 그림자들이 파공성을 일으키며 밤의 공간을 헤치고 날아가는 모습이 희미하게 보였다.

하나같이 고강한 무공을 지닌 자들은, 서로 간격을 맞춘 채 별채를 구획하고 있는 담벼락 위를 날아서 맨 끝자락에 있는 별채로 사라졌다.

"뭐지?"

강만리는 눈을 가늘게 뜬 채 중얼거렸다.

"암습인가?"

"그건 아닌 것 같네."

담우천이 귀를 쫑긋거리며 말했다.

"전혀 살기가 없는 걸로 보아 아마도 객잔의 그 여인을 호위하는 또 다른 자들 같군. 아마 저 끝자락의 별채에 그 여인이 묵고 있을 테고."

담우천은 고개를 끄덕이며 중얼거렸다.

"흠, 역시 꽤 귀한 신분인 것 같다. 객잔의 열두 명 말고도 저리도 많은 고수를 호위로 둔 걸 보면 말이지."

강만리가 엉겁결에 말했다.

"확실하지는 않지만 만에 하나 그녀가 태극천맹 소속의 인물이라면 아마도 비선이라는 조직의 수장이 아닐까 생각합니다."

"음?"

담우천은 살짝 놀란 눈으로 강만리를 돌아보았다.

"그걸 어떻게……."

"아, 그게 그러니까…… 그냥 이것저것 궁리하다 보니 거기까지 생각이 미쳤습니다. 다시 한번 말씀드리지만 확실한 게 아니라 만에 하나의 경우라는 겁니다."

강만리는 머쓱한 표정을 지으며 말했다.

"다시 생각해 보면 그녀가 태극천맹 소속이 아닐 확률이 훨씬 더 높거든요. 그러면 비선이고 뭐고 다 전혀 엉뚱한 망상이 되는 거죠."

"아니, 나도 저들이 비선 사람들이라고 생각하네."

담우천은 다시 한번 끝자락의 별채를 돌아보며, 강만리가 채 듣지도 못할 정도로 낮은 목소리로 중얼거렸다.

"저들에게서 나와 동류(同流)의 냄새가 나고 있거든."

3장.
고르는 게 아니라 버리는 게다

"호흡이 끊어지지 않도록 가늘게 이어 가라.
심와(心窩)를 열고 그 안을 들여다보아라.
지금 네가 느끼는 고통과 충격은 환상과 다를 바가 없다.
넓은 포용력으로 네 안에 들어오는 모든 걸 받아들여라."

1. 버리는 방법

하루는 열두 시진(時辰)이다.

그리고 누구에게나 똑같은 시진의 하루가 주어진다. 동등하고 평등하게 노인, 소년, 사내, 계집 가릴 것 없이 더하지도 덜하지도 않은 열두 시진이라는 하루.

하지만 과연 그게 모든 이들에게 똑같은 시간일까.

아니다. 시간은 절대적(絕對的)으로 흐르지 않는다. 시간은 주관적이고 감각적으로 흐른다. 그래서 사람마다의 시간은 다를 수밖에 없다.

예를 들자면 모든 것이 밝고 맑고 투명하며 활력에 넘치는 소년의 하루와 모든 게 허물어지고 스러지며 타들어 가 이제는 소멸할 날만 기다리는 늙은이의 하루는, 그 시간의 길이가 전혀 다른 법이다.

다시 예를 들자면 새벽부터 일어나 온갖 업무에 치이고 사람들을 만나고 바쁘게 돌아다니는 사람과 아무런 할 일이 없어 빈둥빈둥 누워서 불알만 긁적거리면서 시간을 보내는 이와의 하루는 그 길이가 다를 수밖에 없다.

시간은 결코 객관적이지도, 절대적이지도 않다.

어제의 하루는 생각보다 길었지만 오늘의 하루는 생각보다 짧을 수가 있다. 시간은 감각적이고 주관적이다.

노인의 시간은 참으로 더디게 흘러간다.

아침을 먹고 슬슬 점심을 먹을 때가 되지 않았나 생각이 들 즈음에는 겨우 반 시진 정도가 흘렀을 뿐이다.

그렇게 더디게 흘러가니 시간이라는 게 지겨울 수밖에 없다. 억지로 시간을 보내야 하니 어쩔 수 없이 과거 생각을 하게 되고 자신도 모르게 추억에 잠기게 된다.

노인이 추억을 반추하는 건 그래서였다. 일부러 하는 게 아니라 어쩔 수 없기 때문에, 더디고 느리게 흘러가는 시간을 억지로 보내기 위해서 할 수 없이 하는 것뿐이다.

그러니 노인의 시간은 우중충하고 고리타분하고 회색빛이 감돌 수밖에 없었다.

반면 소년의 시간은 밝고 화려하고 투명하며 활기차다. 소년의 시간은 햇살처럼 눈부시게 반짝이며 달리는 말처럼 빠르게 지나간다.

아침 먹고 밖에 나가 뛰어놀다 보면 어느새 저녁 해가 뉘엿뉘엿 지는 시각이 되어, 엄마가 밥 먹으라는 소리에 겨우 정신을 차리고 집으로 돌아간다.

소년의 시간은 질투가 날 정도로 아름답고 눈부시며 쏜살같다.

하지만 정작 소년들은 자신들의 시간이 그렇게 아름답고 화려하며 반짝이는 것인지 전혀 알지 못한다.

당연한 일이다. 비교 대상이 없으니까. 처음부터 지금껏 쭉 그래 왔으니까. 언제까지고 계속해서 그렇게 빛날 줄 알고 있으니까.

그래서 투덜거린다. 그 순수하게 반짝이는 시간들이 지겹다고 느끼며 조금이라도 빨리 어른이 되고 싶어 한다.

복에 겨운 게다. 아무것도 모르니 그 황금보다 더 귀한 시간을 허투루 사용하기도 하는 것이다.

노인은 이미 그 시간을 겪고 지나쳐 온 자들이다. 그들은 회색빛의 느리고 더디고 우울한 시간의 흐름을 겪는 이들이다.

그렇기 때문에 소년의 시간이 얼마나 빛이 나는지, 그리고 자신들의 시간이 얼마나 슬픈 건지 비교할 수 있다.

그래서였다. 소년들의 시간을 질투하고 부러워하고 시샘하는 건. 또 그래서였다.

노인들이 소년들에게 잔소리하고 훈계하는 건, 그 보물 같은 시간을 헛되이 보내는 게 안타깝고 아까웠기 때문이었다.

꽃이 지고 나서야 봄인 줄 아는 법이다. 헤어지고 나서야 사랑인 줄 아는 법이다. 다시 보니 선녀였던 것이다.

* * *

"음? 어쩌다가 이야기가 그리 빠졌누?"

만해거사가 의아한 표정을 지으며 중얼거리자 옆자리에 누워 있던 담호가 얼른 입을 열었다.

"하루하루를 소중히 보내라는 말씀을 하고 계셨어요."

"아, 그렇지. 그래, 지금 너의 하루는 이 늙은이들의 한 달과도 바꿀 수 없는 시간이라는 이야기를 하려던 참이었지. 허허. 늙으면 죽어야지, 어쩌다가 이리 잡소리가 많아졌을꼬?"

만해거사가 겸연쩍게 웃을 때, 잠들어 있는 줄 알았던 유 노대가 툴툴거리며 말했다.

"자네는 젊었을 적부터 유난히 말이 많았네."

"음? 안 자고 있었나?"

"자네가 하도 떠들어 대니 어디 잠을 잘 수가 있어야지."

〈76〉 무림오적 38

유 노대는 끄응 하며 자리에서 일어났다.

창밖은 어두운 가운데 달빛 한 점이 창을 타고 방 안으로 내려앉았다.

방에는 그들 세 사람뿐이었다. 담호는 원래 담우천과 나찰염요와 같은 방을 써야 했으나, 담호가 군이 만해거사와 유 노대와 함께 있겠다면서 이 방으로 옮겨 온 것이다.

유 노대가 방 중앙에 있는 탁자를 향해 손가락을 가리키자 팟! 하면서 등잔에 불이 밝혀졌다. 등잔불이 부드럽게 흔들리며 평온한 음영을 만들어 냈다.

유 노대는 침상에 가부좌를 틀고 앉은 채 담호를 내려다보며 입을 열었다.

"만해의 말이 쓸데없이 길고 잡소리가 많기는 하지만, 그래도 네가 새겨들을 만한 부분은 있구나. 특히 네 나이 때 하루하루를 어떻게 보내느냐에 따라서 십 년 후, 이십 년 후의 미래가 전혀 달라진다는 건 반드시 새겨 두도록 해라."

담호는 더 이상 누워 있을 수가 없었는지 자리에서 일어나 무릎을 꿇고 앉아 말했다.

"명심하겠습니다."

"아니, 그렇게 딱딱하게 앉을 필요는 없다. 누워 있어도 괜찮아."

"아니에요."

"뭐, 그렇다면야."

유 노대는 곰방대를 찾으며 다시 입을 열었다.

"네 주변에는 보고 배우기에 좋은 사람들이 많다. 네 부친도 그렇고, 다른 숙부들도 그렇고."

"우리도 그렇고."

만해거사가 끼어들었다. 유 노대는 눈을 흘기며 말했다.

"자네도 물론 타산지석으로 삼을 만한 좋은 본보기이기는 하지. 저리 늙으면 안 된다는."

"허어. 뭔 소리인가? 나처럼만 늙을 수 있다면 정말 복받은 게지."

만해거사는 진심으로 말했다.

"늘그막에 제자도 생기고. 아, 물론 성에 차는 녀석은 아니지만 말일세. 말벗도 옆에 있고, 평생 내 팔자에는 없을 것 같던 손주 녀석들도 몇 명이나 생기고, 무엇보다 심심하지도 않으니 말일세. 내 지금의 시간은 그 어느 때보다도 밝게 빛나고 있다네."

유 노대는 빈정거리려다가 마음을 바꾸고는 고개를 끄덕이며 말했다.

"그건 나도 마찬가지일세. 말이 좋아 심산유곡에 은거하여 유유자적 소일(消日)한다고 하지만, 사실 그보다 외롭고 비참한 말년(末年)이 또 어디 있겠는가? 누구 하나

찾아오지 않고 누구 하나 반겨 주지도 않으며, 누구 하나 나를 필요로 하지도 않는 노후(老後)인 게지."

"그래서 외려 지금의 이 난리가 즐겁고 기쁘고 두근거리거든. 살아 있다는 게, 아직 나도 뭔가 할 수 있다는 게 느껴지니까 말이지."

"그래. 어찌 생각하면 참으로 서글픈 일이기도 하지만, 어쨌든 젊은 시절처럼 마음껏 뛰놀 수 있게 되었으니까."

"암자 골방에 처박혀서 죽는 날을 기다리는 게 아니라 말이지."

"음? 자네, 좋아서 암자에 들어간 게 아니었나?"

"허어, 세상 누가 홀로 암자에 처박히는 걸 좋아하겠나? 어쩔 수 없어서, 늙고 기력 쇠한 모습 보여 주기 싫어서, 더는 벗과 지인들의 부고(訃告)를 받기 싫어서 그랬을 뿐이야."

"흐음. 나는 또 자네가 심술 맞고 성격 더러워서 혼자 사는 게 편한가 보다 그리 생각했지."

"심술 맞다는 건 인정하겠네만 성격 더러운 건 나보다 자네가 더한 것 같은데?"

"무슨 소리?"

두 노인은 정작 담호는 잊어버린 채 옥신각신 싸우기 시작했다. 담호는 미소를 띤 채 그 두 노인의 말다툼을 지켜보다가 문득 부럽다는 듯 입을 열었다.

"좋은 친구가 있다는 건 참 좋은 일이네요."

한참 말싸움을 하던 두 노인이 동시에 담호를 돌아보았다.

"응? 좋은 친구?"

"누가 좋은 친구인데?"

담호는 미소를 지으며 물었다.

"저도 언젠가는 좋은 친구를 사귀겠죠?"

"뭐, 그야……."

"두 분 할아버지같이, 아버지와 다른 숙부들같이 언제나 같이 있으면 즐겁고 마음 편해지는 그런 친구 말이에요."

"물론이다."

만해거사가 고개를 끄덕이며 말했다.

"얼마든지 만나고 사귈 수 있을 게다. 그러니 만날 수 있을 만큼 많이 만나고 사귈 수 있을 만큼 많이 사귀거라. 어디 친구뿐이더냐? 밥도 그렇고 무공도 그렇고 계집도 그렇고, 먹을 수 있을 만큼 먹고 배울 수 있을 만큼 배우고 사랑할 수 있을 만큼 사랑하거라."

담호의 얼굴이 살짝 붉어지는 가운데 만해거사는 진중한 표정을 지으며 말을 이었다.

"어리거나 젊을 때는 그게 좋은 법이다. 만나고 사귀고 배우고 사랑하는 모든 게 네 경험이 되고 성장의 거름이 되는 법이니까. 할 수 있는 만큼 하거라. 그러기 위해서 시간이 있는 거니까. 또 그러기 위해서 네 시간이 그만큼 빛나고 아름다운 거니까."

담호도 어느새 진지한 얼굴로 만해거사의 이야기에 귀를 기울이고 있었다.

"그리하여 이제 배불리 먹고 배울 만큼 배우고 사귈 만큼 사귀고 사랑할 만큼 사랑했다 생각이 들면, 그때부터는 하나씩 버리도록 해라."

만해거사의 얼굴에는 평소의 그 익살맞은 표정이 없었다.

"버리고 또 버리는 게다. 뭐, 잘 버릴 줄도 알아야 하지. 그래서 버리는 연습도 필요한 게고. 어쨌든 버리다 보면 결국에는 제대로 버리는 방법을 알게 될 게다. 그렇게 버리고 버리다 보면 결국 끝까지 남게 되는 것들이 있을 것이다. 그게 바로 진정한 네 것이다."

담호는 이해가 가지 않았지만 열심히 듣고 기억하려 애썼다. 비록 지금은 이해가 되지 않지만 조금 더 나이가 들면 달라질 테니까.

"바둑에는 정석(定石)이라는 게 있다. 그리고 무공에는 투로(套路)라는 게 있지. 둘 다 오랜 세월 동안 많은 이들이 연구하여 완성한 최적의 수법이지."

언제나 토를 달고 빈정거리던 유 노대도 가만히 만해거

사의 이야기를 듣고 있었다.

"하지만 바둑의 고수가 되기 위해서는 정석을 버리라는 말이 있다. 정석에 구애받지 않고 정석에서 벗어나야만 진정한 고수가 된다는 게다. 투로 역시 마찬가지다. 검법에 얽매이고 초식에 대한 집착을 버리고 고정된 투로에서 벗어나는 순간, 진정한 고수로 가는 길이 열리는 게다."

거기까지 쉬지 않고 단숨에 이야기한 만해거사는 목이 마른 듯 탁자를 향해 손을 뻗었다. 탁자 위에 놓여 있던 찻주전자와 찻잔이 둥실 허공으로 떠오르더니 천천히 만해거사의 손으로 날아들었다.

만해거사는 식어 버린 차를 따라 마신 후, 찻주전자와 찻잔을 침상에 내려놓으며 말을 이었다.

"친구도 마찬가지다. 버리고 버리다가 남게 된 친구야말로 진짜 네 생명과 같은 친구인 게다. 여인도 마찬가지고 무공도 마찬가지다. 명심하거라, 고르는 게 아니라 버리는 게다. 알겠느냐?"

담호는 눈을 반짝이며 곰곰이 생각하다가 입을 열었다.

"솔직히 말씀드리면 잘 모르겠어요."

2. 기이한 운기조식(運氣調息)

"음? 허허허."

만해거사는 눈을 동그랗게 떴다가 이내 웃음을 터뜨렸다. 하기야 총명하다고는 하지만 아직 열서너 살 어린아이에 불과했다. 모든 걸 이해할 수는 없는 나이인 게다.

담호는 부끄러워하지도 않고 쑥스럽거나 창피해하지도 않았다. 그는 초롱초롱한 눈으로 만해거사를 쳐다보며 입을 열었다.

"하지만 그 뜻을 이해하게 될 때까지 많이 먹고 많이 배우고 많이 만나겠어요. 그렇게 모든 걸 내 것으로 만들다 보면 언젠가는 고르는 게 아니라 버린다는 걸 제대로 이해할 날이 올 테고, 그때는 제대로 버릴 줄 알게 될 테니까요."

잠자코 듣기만 하던 유 노대는 가만히 담호를 바라보다가 손을 뻗어 소년의 머리를 쓰다듬으며 말했다.

"그래. 그러면 된 게다."

만해거사가 눈을 부라렸다.

"뭐냐? 그거 방금 막 내가 하려고 한 건데."

"누가 먼저 하든 무슨 상관이누? 기특한 녀석 머리 쓰다듬어 주는 거에 어디 순서가 있으려고."

유 노대는 일부러 더 담호의 머리를 쓰다듬으며 웃었다.

"흥!"

만해거사가 코웃음을 친 뒤 팔짱을 끼고 토라진 척하자, 유 노대는 웃으며 다시 입을 열었다.

"이제까지 훈계를 했으면 이제 뭔가 선물을 줘야 하지 않을까 싶은데."

"흥!"

"지금껏 잠자코 수다쟁이 늙은이의 이야기를 들어 준 담호의 성의를 봐서라도 말이지."

"흥!"

"싫으면 내가 줘도 되려나?"

유 노대는 어깨를 으쓱하며 말했다.

"안 그래도 내가 먼저 주고 싶었는데 자네 때문에 망설이고 있었거든."

"됐네."

만해거사가 팔짱을 풀며 말했다.

"자네는 지금까지 그러했듯이 구석에 앉아서 잠자코 지켜보기나 하게."

유 노대는 두 손을 높이 들며 말했다.

"그렇게 함세."

만해거사는 한동안 그를 노려보다가 다시 담호를 돌아보며 불쑥 입을 열었다.

"사실 담호 너는 아직 부족한 것 천지다만, 그중에서도 가장 부족한 게 내공일 게다. 내공이 부족해서 제대로 무공을 펼치지 못하는 것도 여럿 있을 테고."

담호는 쑥스러워하며 고개를 끄덕였다.

"영단이나 영물을 복용해서 단번에 내공을 끌어올리는 방법도 있겠지만, 사실 그건 좋은 방법이라 할 수 없지. 급격하게 쌓인 내공을 제어하지 못해서 주화입마에 빠질 수도 있고, 또 기껏 받아들인 내공을 온전히 제 것으로 소화하지 못하는 경우도 있으니 말이다. 그러니 내공을 높이는 가장 좋은 방법은 오로지 끊임없는 수련과 노력에 있단다."

"알고 있어요."

"하지만 또 이런 방법도 있단다."

만해거사는 두 손을 앞으로 내밀며 말했다.

"가부좌를 튼 다음 내 손을 잡아 보아라."

담호는 영문을 몰라 어리둥절한 표정을 지으면서도 만해거사의 말에 따라가부좌를 틀고 손을 뻗어 그의 두 손을 잡았다.

만해거사는 차분한 어조로 말했다.

"천천히 운기조식을 시작해라. 끌어올린 내공을 오른손의 기맥으로 흘려 보내도록 해라."

담호는 순순히 만해거사의 말을 따랐다. 소년은 곧 단전에 잠들어 있던 내공을 깨워 일으켰다. 내공은 곧 기맥을 타고 주천(周天)을 시작했다.

오른손 기맥으로 흘러 들어간 내공이 휘돌아 빠져나와
야 할 순간, 갑자기 손바닥을 마주 대하고 있던 만해거사
의 장심(掌心)이 활짝 열리면서 담호의 내공이 그 안으로
거침없이 빨려 들어갔다.

'헉!'

담호는 깜짝 놀라 하마터면 운기조식을 중단할 뻔했다.

하지만 바로 그 순간, 만해거사의 담담한 목소리가 소
년의 평정심을 되찾아 주었다.

"걱정하지 말고 계속해서 진기를 흘려보내도록 해라.
그리고 왼손의 장심을 통해서 흘려보낸 진기를 다시 받
아들인다는 느낌으로 운기조식을 이어 가거라."

담호는 만해거사의 말에 따라오른손으로 진기를 내보
내면서 왼손의 장심을 활짝 열었다. 곧바로 그 장심을 통
해서 만해거사의 진기가 천천히 밀려들었다.

담호는 받아들인 만해거사의 진기를 이용하여 계속해
서 주천을 이어 갔다. 진기는 두정(頭頂) 백회혈(百會穴)
을 지나 다시 발바닥 끝 용천혈(湧泉穴)로 이어졌다가 오
른손으로 빠져나갔다.

그것은 마치 담호와 만해거사가 한 몸이 되어 운기조식
을 하는 모양새와 다름이 없었다. 담호의 몸을 휘돌고 빠
져나갔던 진기는 다시 만해거사의 몸을 한 바퀴 휘돈 다

음 담호에게로 흘러들고 있었다.

그렇게 서로의 기맥을 타고 흐르는 진기의 양이 천천히, 알게 모르게 점점 늘어나고 있었다.

담호의 내공이 십(十)이라면 만해거사의 내공은 백(百)이었다. 만해거사는 담호의 기맥이 찢어지거나 터지지 않도록 조심하면서 십일, 십이, 십삼, 이런 식으로 한 바퀴 돌 때마다 주천하는 내공을 조금씩 늘려 나갔다.

담호의 얼굴이 점점 붉어졌다. 식은땀이 흐르기 시작했다. 그의 얼굴에는 고통의 빛이 완연해 보였다.

당연한 일이었다.

기맥은 진기가 이동하는 통로, 시전자의 내공이 적으면 기맥 또한 작고 좁으며, 시전자의 내공이 높으면 기맥 또한 크고 넓어진다.

기맥이 크고 넓으면 당연히 진기가 보다 더 빠르고 원활하며 안정되게 이동할 수 있었다. 그리고 기맥이 좁고 작을 때보다 훨씬 빠르게 내공을 높일 수 있었다.

원래 기맥은 어디까지나 본인이 지닌 내공의 양에 의해 그 크기가 결정되는 법, 인위적으로 기맥을 크게 하거나 넓힐 수가 없다고 알려져 있었다.

하지만 지금 만해거사는 인위적으로 담호의 기맥을 넓히고 크게 만드는 술법을 펼치고 있었다.

담호의 기맥은 십에 해당하는 내공이나 진기가 원활하

게 이동할 수 있는 크기를 가지고 있었다.

거기에 갑자기 만해거사가 십이 넘는 진기를 흘려 보내자, 기맥은 갑작스레 넘쳐 나는 진기를 감당하지 못하고 부풀어 올랐다.

자칫 기맥이 찢어지거나 터져서 주화입마에 빠지게 되는 위험한 상황이었다.

기맥이 부풀어 오르는 순간, 담호는 몸속 내부의 모든 것들이 급격하게 팽창하여 당장이라도 피부를 뚫고 폭발할 것 같은 충격과 고통을 느껴야 했다.

담호는 그 갑작스러운 고통과 충격으로 인해 순간적으로 집중력과 평정심을 잃었다.

집중력과 평정심을 잃은 담호는 기맥을 타고 흐르던 진기를 제대로 제어할 수 없게 되었고, 목줄이 풀린 진기는 기맥 속에서 마구 날뛰기 시작했다. 더욱 통증이 격렬해졌다.

그야말로 악순환의 연속!

"정신을 집중하거라."

만해거사의 목소리가 담호의 머릿속에서 천둥처럼 울려 퍼졌다.

"호흡이 끊어지지 않도록 가늘게 이어 가라. 심와(心窩)를 열고 그 안을 들여다보아라. 지금 네가 느끼는 고통과 충격은 환상과 다를 바가 없다. 넓은 포용력으로 네 안에 들어오는 모든 걸 받아들여라."

만해거사의 목소리는 하나하나가 경구처럼 담호의 뇌리에 박혔다.

격렬한 고통에 일그러졌던 담호는 이내 정신을 차리고 운기조식에 집중했다.

만해거사의 진기는 끊임없이 밀려들었고, 담호의 대주천을 휘돈 진기는 다시 만해거사에게로 끊임없이 흘러나갔다.

그 와중에 담호의 기맥을 타고 흐르던 진기는 안정을 되찾았고, 기맥 또한 더는 부풀어 오르지 않았다. 만해거사가 흘려 보내는 진기의 양이 더 이상 늘지 않았던 까닭이었다.

얼마나 시간이 흘렀을까.

담호가 무아지경에 빠져서 운기조식을 하고 있을 때, 만해거사가 천천히 입을 열었다.

"이제 마지막 주천이다. 하나, 둘, 셋을 세는 순간 동시에 양손을 떼야 한다. 동시에 말이다."

만해거사는 사뭇 긴장한 목소리로 말을 이었다.

"하나, 둘, 셋!"

순간 담호와 만해거사는 동시에 쌍장을 거둬들였다.

그 반탄력을 견디지 못하고 담호는 데구루루 뒤로 굴러 침상 밖으로 나가떨어졌다. 반면 만해거사는 가부좌를 튼 채 한 차례 상체를 크게 휘청거렸다.

　지켜보던 유 노대가 황급히 담호를 끌어안았다. 담호는 어지러운 듯 눈을 감고 있다가 겨우 뜨며 말했다.

　"괜찮아요, 이제."

　유 노대가 그를 놓아주며 말했다.

　"얼른 앉아서 운기조식을 해 보아라. 일주천(一週天)만 하면 된다."

　"네."

　담호는 다시 가부좌를 틀고 앉아 운기조식을 했다.

　간단하게 한 바퀴 주천을 끝낸 담호는 살짝 놀란 듯한 눈으로 유 노대와 만해거사를 번갈아 바라보았다.

　만해거사가 껄껄 웃으며 말했다.

　"어떠냐, 그것만으로도 많이 달라지지 않았느냐?"

　"네. 정말 내공이 두 배 이상 높아진 것 같아요."

　담호가 흥분하여 말하자 만해거사는 고개를 저으며 입을 열었다.

　"그건 아니다. 네 착각일 뿐이지."

　"정말요? 그렇게 높아진 게 아닌가요?"

　"그래. 물론 삼 할 정도는 높아졌을 게다. 내가 그 정도까지 조절해서 운기했으니까."

　"그런데 왜 두 배 이상 높아진 기분이죠?"

　"그건 그만큼 기맥을 넓혀 놨으니까."

"기맥을요?"

담호는 어리둥절한 표정을 지었다. 만해거사는 여전히 싱글거리며 말했다.

"천축(天竺)에는 말이다. 기상천외하고 괴상망측한 내공법들이 즐비하더구나. 그중에 특히 음양밀접환희술(陰陽密接歡喜術)이라는 게 있는데, 사내와 여자가 교합(交合)하면서 음기와 양기를 서로 주고받는 식으로 내공을 증진시키는 방법이었다."

담호의 귓불이 붉게 달아올랐다. 만해거사는 개의치 않고 계속해서 말을 이어 나갔다.

"그 원리를 두고 곰곰이 생각해 보니 이런 식이더구나. 음기가 사내의 몸으로 들어가 양기와 합쳐지면서 더 큰 양기가 되고 다시 커진 양기가 여인의 몸으로 들어가 음기와 합쳐지면서 더 큰 음기가 되고…… 이런 식으로 계속해서 서로의 정기를 주고받으며 진기를 키워 나가는 게야. 일반 흡정술(吸精術)이 시전자만 이득을 보는 내공법이라면 이건 양쪽 모두 이익이 되는 내공법인 게지."

얼굴까지 발갛게 물들였지만 담호는 진지한 표정으로 만해거사의 말에 귀를 기울였다.

"그럼 사내들끼리, 혹은 여인들끼리는 어떻게 할까? 설마 남녀 한 쌍이 그러하듯 교합을 할 리도……."

"어허! 또, 또 쓸데없는 얘기."

유 노대가 혀를 차며 말했다.

"그냥 본론으로 들어가라고."

"아, 그러지. 계속하다가는 담호 네 녀석 피가 머리 꼭대기까지 쏠려서 죽을 것 같으니까."

만해거사의 말에 담호의 얼굴이 더욱 새빨개졌다. 만해거사는 차를 한 잔 따라서 목을 축인 후, 다시 이야기를 이어 나갔다.

3. 벽이전공술(闢移傳功術)

"동성(同姓)간에는 쌍장을 맞대고 서로의 내공을 교환하여 기맥을 넓히고 내공을 증진시키는 방법을 사용한단다. 바로 지금처럼 말이지."

만해거사가 말했다.

"그 내공법을 두고 천축 사람들은 벽이전공술(闢移傳功術)이라고 하더구나. 서로의 몸과 마음을 열고[闢] 내공은 옮기고 전하여[移傳] 공력을 쌓는[功] 수법이라는 게지."

'벽이전공술.'

담호는 눈빛을 반짝이며 귀를 기울였다. 만해거사는 헛기침을 한 다음 계속해서 말을 이었다.

"어찌 보면 음양밀접환희술보다 훨씬 편하고 쉽고 단순하지. 굳이 옷을 홀딱 벗고 상대의 몸을…… 허험. 뭐, 어쨌든 굳이 음양밀접환희술을 펼치지 않더라도 벽이전공술만으로 충분하지 않을까 싶은데, 꼭 그건 아니라는 게다."

만해거사는 이야기 도중 유 노대가 제 옆구리를 치며 눈을 흘기자 헛기침을 하며 얼른 말을 바꿨다.

"벽이전공술은 이런저런 단점이 많은 내공법이란다. 우선은 음양밀접환희술보다 내공이 적게 쌓인다는 문제가 있지. 둘째로는 의외로 위험한 상황이 발생할 수 있다는 것이다. 조금 전 우리가 손을 떼고 운기조식을 중지했을 때, 만약 누군가 늦게 운기조식을 중단하거나 혹은 손을 나중에 떼게 되면 꽤 큰 타격을 입게 되거든."

담호는 조금 전 자신이 데구루루 굴렀던 일을 떠올렸다.

확실히 그때 장심을 타고 들어온 약간의 충격으로 인해 몸의 중심을 잃었으며, 한편으로 핑 도는 것처럼 머리가 어지러웠다.

"마지막으로 서로 비슷한 내공을 가진 자들끼리는 사용할 수 없다는 단점이 있단다. 반드시 어느 한쪽이 두 배 이상의 내공을 지녀서 운기행공(運氣行功)의 길을 인도하고 조절하고 제어해야만 한단다. 바로 그런 단점들 때문에 주로 사부와 제자, 아버지와 아들, 엄마와 딸 같이 매우 가까우면서도 내공 차이가 현격한 관계에 있는 이들만이 사용한단다."

담호는 이해가 간다는 듯 고개를 끄덕였다.

확실히 조금 전 상황에서 담호가 한 일은 아무것도 없었다. 그저 담호는 만해거사의 지도를 받으며 그가 주거나 받아들이는 진기의 흐름에 따라 자신도 진기를 받아들이거나 건네주었으니까.

"그럼에도 불구하고 아직 담호 너처럼 순수하되 미약한 내공을 가진 경우에는 상당한 효과를 볼 수 있는 게 바로 또 이 벽이전공술이란다. 내게 쌓이는 내공이야 그리 대단할 건 없지만, 지금 네게는 일이 년의 내공조차 상당한 도움이 될 테니까 말이지."

만해거사는 빙긋 웃으면서 말을 이었다.

"그러니 내일부터 나와 이 늙은이가 번갈아 가면서 너와 벽이전공술을 수련할 것이야. 거기에다가 매일같이 운기조식하면서 내 침술까지 빠지지 않고 받는다면 아주 빨리 내공이 늘 게다."

아닌 게 아니라 화평장에 있을 때 담호는 만해거사로부터 매일 한 번씩 침술을 받았다. 지금 담호가 일반 무인들보다 고강한 내공을 지닌 이유가 바로 거기에 있었다.

담호는 자리에서 벌떡 일어나 두 손을 모으며 만해거사

와 유 노대에게 절을 했다.

"감사합니다, 두 분 할아버지."

유 노대가 껄껄 웃으며 말했다.

"감사할 게 뭐가 있겠느냐? 외려 우리가 감사해야지. 늘그막에 손주 녀석 하나 제대로 키워 볼 기회를 담호 네가 주었으니 말이다."

만해거사도 고개를 끄덕이며 말을 받았다.

"그렇지. 아예 이참에 우리 손주 녀석을 무림 최고 고수로 만들어 봐? 내 의술과 천축의 온갖 기공에다가 자네의, 자네의…… 으음, 자네는 별 게 없군그래."

"아니, 왜 또 날 가지고 타박인가? 좋네. 나는 곤륜파 비전의 절기들을 전수해 주지. 아아, 사문을 나오면서 그 누구에게도 전수하지 않겠다고 사형에게 맹세했는데 그 맹세를 깨게 생겼군그래. 미안하오, 사형."

"뭐 그렇게까지 미안해하면서 전수해 줄 필요는 없지. 괜히 담호가 더 민망해할 테니. 그저 자네는 내 곁에서 담호가 나로 인해 얼마나 실력이 느는지, 구경이나 하게."

"됐네, 이 사람아. 알고 보면 내가 전해 줄 게 자네보다 훨씬 많거든."

두 노인은 다시 티격태격 말다툼을 하기 시작했다.

담호는 웃는 낯으로 가만히 지켜보다가 문득 저도 모르

게 하품을 했다.

벌써 축시(丑時) 말, 야심한 시각이었다. 이러다가는 내일 아침 늦잠을 자게 될지도 모르는 일이었다.

담호가 하품을 하자 두 노인은 말다툼을 멈추고 그를 돌아보며 부드럽게 말했다.

"그렇구나. 너무 늦었다. 어여 자자."

"그래. 내일은 하루 종일 바쁠 터이니 푹 자둬야 할 게다."

유 노대는 담호가 잠자리에 드는 걸 확인하고 지풍을 날려 등잔불을 껐다. 이내 짙은 어둠이 방안에 내려앉았다. 창을 통해 새어 들어오던 달빛도 이제는 자취를 감췄다.

담호가 문득 중얼거렸다.

"두 분 숙부는 내일 오시겠죠?"

일순 유 노대와 만해거사의 얼굴이 어둠 속에서 딱딱하게 굳어졌다. 만해거사는 곧 웃는 목소리로 말했다.

"물론이지. 당연히 내일 우리를 찾아올 것이다."

유 노대도 말했다.

"걱정하지 말고 자자꾸나. 어쩌면 내일 아침, 객청 탁자에 앉아서 우리를 기다리고 있을지도 모르니까."

"네, 할아버지."

담호는 눈을 감고 잠을 청했다.

*　　*　　*

날이 밝았다.

담호가 자리에서 일어났을 때는 이미 방 안에 아무도 없었다. 늦잠을 잔 것이다.

담호는 서둘러 침상을 정리하고 방을 나섰다. 복도를 따라 이어진 객청으로 향하는 담호의 가슴이 살짝 두근 거렸다. 객청에서 두런두런 이야기를 나누는 소리가 들려왔던 것이다.

하지만 화군악과 장예추가 객청 차탁에 앉아서 담호를 기다리는 일 같은 건 없었다. 객청에는 유 노대와 만해거사, 담우천과 나찰염요, 강만리와 설벽린이 앉아서 차를 마시고 있었다.

담호는 꾸벅 고개를 숙이며 말했다.

"죄송해요. 늦잠을 잤어요."

"아니다. 어제 늦게 재운 우리가 잘못이지. 얼른 씻고 오너라. 아침 식사를 해야지."

유 노대가 웃으며 말했다. 담호가 서둘러 씻고 돌아오자 사람들은 모두 자리에서 일어났다.

객청 문을 열자 시원하고 맑은 공기가 스며들었다. 하늘은 높고 청명한 것이 꼭 가을하늘 같아 보였다.

사람들은 마당을 가로질러 객잔 후문으로 들어섰다. 예의 그 언변 좋은 점소이가 활짝 웃으며 그들을 반겼다.

"어서 오십쇼. 이쪽으로 앉으시죠."

점소이는 사람들을 어제와는 달리 일 층 대청 창가로 안내했다.

창가 쪽에는 선객이 있어서 이미 식사를 하는 중이었다. 두 명의 아름다운 미모를 지닌 여인들. 역시 어제 이 층에서 함께 식사했던 손님들이었다.

강만리는 그녀들의 곁을 지나치다가 우연히 그중 한 명과 눈이 마주쳤다. 강만리는 가볍게 눈인사를 했고 여인 또한 맑게 웃으며 인사를 받았다.

사람들이 자리에 앉자 점소이는 싹싹한 말투로 말했다.

"아침 식사로는 간단하게 들깨죽과 두부화(豆腐花), 두장(豆漿), 만두와 우육탕이 준비되어 있습니다. 어느 것으로 드시겠습니까?"

두장은 간단하게 콩국이라 할 수 있었고, 두부화는 순두부에 달달하거나 혹은 매운 양념과 고명을 얹어서 먹는 간편한 음식이었다.

대체로 강북의 음식은 짜고 강남의 음식은 달다고 할 수 있는데, 이곳 두부화는 맵고 짠 편에 속했다.

강만리는 힐끗 유 노대 어깨너머로 두 명의 여인이 먹

는 광경을 보면서 입을 열었다.

"다 가지고 오시게."

점소이는 당황한 듯 입을 벌렸다가 다물고는 이내 활짝 웃으며 말했다.

"알겠습니다. 한 가지씩 말씀하시는 거겠죠?"

원래 아침 식사는 간단하게 먹거나 아예 먹지 않았다. 대신 점심 식사와 저녁 식사를 거하게 차려 먹는 게 이 시대의 일반적인 식사법임을 감안한다면 점소이의 질문은 너무나도 당연했다.

강만리는 무슨 소리냐는 표정을 지으며 말했다.

"사람 수대로."

"네? 아, 네. 알겠습니다. 그리 대령하겠습니다."

점소이는 연신 뒤를 돌아보며 주방으로 달려갔다.

"너무 많지 않나?"

유 노대가 살짝 걱정스럽다는 듯이 묻자 강만리는 거침없이 대답했다.

"남으면 제가 다 먹죠."

"아, 그럼 되겠네."

유 노대는 머쓱한 얼굴로 말했다.

강만리는 창밖으로 시선을 돌렸다. 아직 이른 아침이라고 할 수 있는 시각이었는데 거리는 오가는 행인들로 붐비고 있었다. 강만리의 눈살이 살짝 찌푸려졌다.

"좋지 않은데."

그의 중얼거림에 사람들의 시선이 일제히 창밖으로 쏠렸다.

오가는 행인 대부분은 부유한 차림의 상인들과 그들을 호위하는 무사들이었다. 아마도 오늘 있을 경매회의 좋은 자리를 선점하기 위해 일찍 길을 나선 모양이었다.

강만리는 바삐 걷는 사람들을 훑어보며 중얼거렸다.

"이거야 원, 악양부 전체가 들썩거릴 정도의 큰 행사가 되었네."

"당연하죠."

아직도 아름다운 여인으로 변장한 설벽린이 꾀꼬리 같은 목소리로 말했다. 강만리의 인상이 더 찌푸려졌지만 설벽린은 아랑곳하지 않고 말을 이었다.

"자고로 경매는 소문내고 도둑질은 소문을 지우라는 말도 있잖아요? 당연히 소문을 크게 내야지 더 흥행이 되니까요. 게다가 이렇게 많은 사람이 지켜보고 있으면 행여 불순한 마음을 가진 자가 있다 하더라도 쉽게 움직일 수 없고요."

"누가 그걸 모른다던? 문제는 이렇게 많은 사람이 운집하면 반드시 그 안에 태극천맹과 금해가의 인물들도 한 자리씩 차지하고 있을 거니까. 당연히 일이 귀찮아질 수밖에."

강만리가 짜증을 낼 때 점소이들이 커다란 쟁반 가득 수십 개의 그릇을 가지고 왔다.

사람들의 입이 쩍 벌어졌다. 비록 그릇 하나하나에 담긴 음식의 양은 적었지만, 워낙 가짓수가 많다 보니 먹기 전부터 질릴 지경이었다.

그러거나 말거나 강만리는 수저부터 챙기며 말했다.

"자, 단단히들 배를 채웁시다. 아무래도 오늘은 기나긴 하루가 될 것 같으니까."

4장.
기나긴 하루

종용과 협박과 외압은
더 큰 세력과 관심과 여론 앞에서는 무용지물이 된다.

1. 나 아직 죽지 않았다

강서낭추 조태수는 남창부를 중심으로 해서 강남 일대를 주름잡던 견객(掮客:거간꾼)이었다.

그가 활약했던 이야기들은 전설처럼 회자되었고, 갓 거간(居間)에 입문한 새끼 거간꾼들의 교범이 되기도 했다.

가령 은자 수백만 냥짜리 거래를 하룻밤 만에 성공시킨 일화나 혈혈단신의 몸으로 전쟁과도 같은 싸움을 벌이고 있는 수백 명의 무림인 사이를 비집고 들어가 담판을 지은 일 같은 건 확실히 누가 들어도 가슴 두근거리는 이야기였다.

하지만 그런 천하의 조태수도 계집의 사타구니에 빠지

게 되자 사람이 달라졌다. 몰려드는 일거리는 아랫사람에게 맡긴 채 그는 오로지 기녀의 가랑이 사이에서 허우적거렸다.

사실 평생 수없이 많은 여인과 수없이 많은 오입질을 한 조태수였기에, 두어 달 정을 나누다 보면 어느 여인이든 질리게 되고 그래서 다른 여인으로 갈아타기를 반복했다.

하지만 이 여인은 전혀 달랐다.

그녀는 지금껏 조태수가 경험해 보지 못한 자극을 주었으며, 느껴 보지 못했던 황홀함과 극락의 쾌감을 선사했다. 또한 그녀의 육체는 늘 새로웠다. 몇 달을 같이 지내도 처음 만난 여인처럼 늘 새롭고 신선했다.

그랬다. 그녀의 몸은 신대륙이었고, 조태수는 그 신대륙을 탐험하는 모험가였다.

그런 그녀가 어느 날 갑자기 도주하듯 무창을 떠나 악양으로 거처를 옮겼다. 그녀를 관리하던 기루의 주인이 악양의 화화루라는 기루에 그녀를 팔아넘겼던 것이다.

그녀가 새로 기적(妓籍)을 옮긴 화화루는 악양에서 세 손가락 안에 들어가는 기루였다. 하지만 그 화려한 유명세와는 달리 날로 쇠락해 가던 기루이기도 했다.

그래서 화화루의 주인은 거액을 들여 무창을 비롯한 호남 각지의 명기(名妓)들을 사들이고 건물도 새롭게 단장한 후, 수정루라는 이름으로 다시 화려하게 문을 열었다.

한편 졸지에 운화 조민을 잃어버린 조태수는 식음을 전폐하고 며칠을 끙끙 앓아눕다가 중대한 결심을 했다.

그는 모든 가재(家財)를 정리하고 자신의 본거지까지 버려 가면서 조민을 따라 악양으로 올라왔고, 이후 수정루 조민의 거처를 신혼방처럼 꾸며 놓고 함께 지내기 시작했다.

물론 그렇게 되기까지에는 수많은 난관이 있었다. 우선 수정루 측에서 조민과 함께 지내고 싶다는 조태수의 요청을 받아들이지 않았다.

당연한 일이었다. 돈 많은 물주들을 낚기 위해서 거액을 투자하여 데리고 온 기녀였다. 한 사람에게 돌리는 것보다는 여러 사람에게 돌리는 게 훨씬 이익이었다.

게다가 무엇보다 기녀는 개인의 소유가 될 수도, 되어서도 안 되었다. 기녀는 모든 사내들의 꿈이자 희망이자 목표물이었다. 그들은 마음에 드는 기녀와 술을 마시기 위해서, 하룻밤 자기 위해서 돈을 아끼지 않았다.

그런데 자신의 마음에 드는 기녀가 어느 개인과 합방을 하며 지낸다면?

당연히 사내들은 그녀를 외면하고 더 이상 찾지 않을 것이고, 결국 그 기녀의 가치는 폭락할 수밖에 없었다.

그런저런 이유로 수정루는 정가의 두 배, 세 배를 주겠다는 조태수의 제안은 단번에 거절했다.

하지만 그렇다고 해서 물러날 조태수가 아니었다. 그는 흥정의 달인이었다. 첫 번째 제안이 거절당했다고 물러나면 천하의 조태수가 아니었다.

우선 그는 조민의 하룻밤을 예약했다. 그리고 며칠 후 다시 열흘을 예약했고, 며칠 후 다시 한 달을 예약했다.

수정루 측에서 한 달은 너무 길다며 예약을 받지 않는다면서 거절하자, 조태수는 열흘씩 세 번을 서로 다른 이름으로 연달아 예약했다.

수정루 측에는 거절할 명분이 서지 않았다. 분명 열흘의 예약은 받아 준 전례가 있었고, 또 기루 특성상 가명(假名)으로 예약을 하는 사람들이 외려 더 많았으니까.

조태수는 거기에서 멈추지 않았다. 그는 조민과 함께 지내는 동안 열흘씩 여섯 번을 연속해서 예약했다.

그렇게 조민에 대한 예약이 쌓이고 쌓이게 되면서 다른 이가 그녀와 하룻밤을 지내려면 최소 오륙 개월은 기다려야 하는 상황이 되었다. 그러자 사람들은 그녀에 대한 예약을 포기하고 다른 기녀들을 찾기 시작했다.

아무리 조민이 남창부에서 이름을 날렸다고는 하지만 이곳 악양부에서는 초짜와 다름없었다. 또 수정루에는 다른 지방에서 나름대로 유명세를 떨친 기녀들이 즐비했으니, 굳이 손님들이 조민에게 목매달 이유가 없었던 것이다.

그뿐이 아니었다. 조태수는 돈을 뿌려 사람들에게 헛소문을 퍼뜨리게 만들었다.

소문을 퍼뜨리는 건 흥정의 기략(機略) 중 하나였다. 아무리 좋은 물건이라 하더라도 소문이 그렇지 않으면 사람들이 달라붙지 않는 법이었다.

그렇게 헛소문을 퍼뜨려서 좋은 물건을 독식하거나 혹은 좋지 못한 물건을 비싸게 파는 건 조태수가 특히 잘하는 방법이기도 했다.

조태수가 퍼뜨린 소문은 별것 아니었다. 조민과 함께 지내는 늙은이가 인근 공중목욕탕인 욕지(浴池)를 찾아 때를 밀었는데, 그 찰배(擦背:때밀이)가 늙은이의 물건을 보고는 겁에 질려 기겁을 하며 도망쳤다는 내용의 소문이었다.

소문에는 확실하게 명시된 내용이 아무것도 없었다. 조태수의 물건을 보고 왜 겁에 질려 도망쳤는지 누구도 알 수 없는 소문이었다.

하지만 소문은 사람들의 입과 귀를 타고 퍼지면서 점점 더 흉측한 쪽으로 변하기 시작했다. 원래 사람들은 흉측하고 혐오스럽고 악랄한 걸 더 좋아하니까.

처음에는 물건이 혐오스럽게 생긴 걸로 이야기가 돌다가 점점 성병 쪽으로 우회하나 싶더니, 결국 나중에는 양매창(楊梅瘡)이나 광동창(廣東瘡) 같은 불치의 창병(瘡病:매독)에 걸렸다고까지 소문이 났다.

그렇게 되자 더더욱 조민을 찾는 손님을 없게 되었고 심지어는 수정루의 위상과 전체 판매고까지 추락하게 되었다. 수정루는 놀라서 진의를 살피고 확인하여 조민은 물론 조태수에게 그런 성병이 없다는 사실을 널리 알렸다.

하지만 이미 때는 늦었다. 온갖 방법을 다 동원하여 힘들게 매출을 원상태로 회복시키기는 했지만 결국 조민은 찾는 이는 아무도 없었다.

수정루 측에서는 난감한 상황이 되고 말았다. 조민을 찾는 이가 없게 되니 이제는 조태수를 내쫓을 수도 없게 되었다. 조민의 상품 가치는 오직 조태수에게만 있었다.

결국 수정루 측에서는 조태수의 새로운 제안을 받아들여야만 했고, 그렇게 조태수는 신혼방 아닌 신혼방을 조민의 거처에 차릴 수가 있었다.

물론 그 과정에 이르기까지 조태수는 수만 금을 써야만 했다. 그가 평생 거간꾼 노릇을 하면서 모아 둔 재산은 여느 갑부 부럽지 않을 정도로 엄청났지만, 악양 최고의 기녀를 독차지하는 데 든 비용은 절대 만만치 않았다.

점점 잔고가 바닥을 보일 즈음에 때마침 천재일우의 기회가 그를 방문했다. 두 명의 사내가 은자 수백만 냥의 가치를 지닌 보물들을 가지고 찾아온 것이었다.

조태수는 그 천재일우의 기회를 인생 마지막 거간질로 삼고자 했다. 제대로 된 물주를 만난다면 죽을 때까지 돈 걱정을 하지 않고 조민과 살아갈 수 있었다.

　그는 인맥을 동원하여 호남 일대의 거상, 견객, 갑부, 호족들에게 연락을 보냈다.

　하지만 돌아온 것은 그들의 비웃음이었다. 외려 창병에 걸렸다더니 아직도 살아 있냐는 식의 빈정거리는 소리만 들려왔다.

　사람들은 일개 기녀에게 흘딱 빠져서 모든 걸 내팽개치고 무창을 떠난 그를 더 이상 신뢰하지 않았다.

　조태수는 이를 악물었다. 사랑하는 여인 앞에서 추한 꼴은 보이기 싫었다. 자신의 위상을 보여 주고 싶었다. 아직 그가 죽지 않았다는 걸 보여 주고 싶었다.

　물론 가장 좋은 방법은 돈을 사용하는 것이었다.

　돈은 귀신도 부린다. 돈으로 부리지 못할 것이 없고 사지 못할 것이 없으며 얻지 못할 게 없었다.

　그는 거액의 돈을 들여 악양의 몇몇 상인과 거간꾼들을 초빙하였다. 이미 몰락한 거간꾼으로 알려진 조태수였지만 그래도 한 번 만나는 것만으로 은자 수천 냥을 받을 수 있으니 확실히 남는 장사였고, 상인들은 그런 남는 장사라면 잿물도 마시는 법이었다.

　조태수는 그렇게 초빙한 사람들을 앞에 두고 피독주를

비롯한 보물들을 선보였다. 그리고 모월(某月) 모일(某日), 경매를 통해서 이 보주들을 팔겠다고 했으며, 만약 이 자리에 있는 자들이 소개한 사람 중, 혹은 본인이 직접 경매에 성공하게 된다면 특별히 경매 대금의 일 할을 돌려주겠다고도 말했다.

일순 그곳에 모인 상인과 거간꾼들의 눈에는 탐욕의 빛이 일렁거렸다.

일 할은 엄청난 거금이었다.

조태수가 보여 준 보주들은 아무리 못해도 은자 수백만 냥에 팔릴 물건들이었다. 그중 일 할이라면 은자 수십만 냥이니, 직접 경매에 성공하지 못하더라도 자신이 소개한 누군가가 성공한다면 그야말로 엄청난 이익을 얻을 수가 있었다.

사람들은 곧 비밀리에 모든 인맥을 동원하여 경매에 참가할 사람들을 모집했다.

그러나 그 경매는 절대로 지켜질 비밀이 아니었다. 경매에 대한 소문은 그들이 제대로 입막음도 하기 전에 누군가에 의해(당연히 조태수이겠지만) 금세 악양부로 퍼졌다.

그리고 다시 그 소문은 삽시간에 악양과 호남을 벗어나 강남 일대까지 들불 퍼지듯 번져 갔다.

한편 조태수는 자신의 거간꾼 인생의 마지막을 장식하

기 위해 화려한 연출을 계획하기 시작했다.

그는 두 번 다시 볼 수 없을 정도로 거대하고 화려하며 아름다운 화선(畵船)을 동정호에 띄우기로 했다.

하지만 악양부 어느 나루터를 돌아봐도 범선만 한 크기의 화선은 찾을 수가 없었다. 그렇다고 처음부터 만들기에는 아무래도 시간이 부족했다.

조태수는 단념하지 않았다.

그는 오십여 척의 화선을 구해서 동정호 한가운데 띄운다음, 종과 횡으로 엮고 묶었다.

그 위로 대나무와 판자들을 비계(飛階)처럼 쌓아 올리고, 다시 판자를 덧대어 마루를 만든 후 그 위로 지붕을 세웠다.

그 비계처럼 얼기설기 얽힌 대나무와 판자에는 온갖 꽃들을 장식하였고, 새로 올린 지붕에는 오색의 화려한 단청(丹靑)을 그려 넣었다.

그렇게 수십 장 크기의 아름답고 화려하며 거대한 화선이 순식간에 만들어진 것이다.

그뿐이 아니었다.

조태수는 다시 대나무와 나무판자를 이용하여 동정호 동쪽 연안에 위치한 악양루에서부터 그 거대한 화선에까지 이어지는 수상길을 만들었다.

길이는 무려 백여 장이나 되면서도 너비는 불과 두 자

밖에 되지 않는, 그리하여 수면 바로 위에서 위태롭게 흔들거리는 그 수상길을 걸어올 담력과 배짱이 있는 자만이 경매에 참가할 수 있게끔 만든 것이었다.

그리고 마침내 그날이 왔다.

조태수는 벌거벗은 채 창가로 다가가 밖을 내다보았다.

경매에 참가하겠다고 연락을 보내온 자만 오백칠십이 명, 그들을 호위하고 시중드는 이들의 수까지 합치면 무려 삼천 명이 넘는 대규모의 인원이 악양부로 몰려들었다.

이른 아침임에도 불구하고 수정루 일대는 무수히 많은 인파들로 가득 메워졌다. 미처 초대를 받지 못했거나 혹은 초대장을 찢었다가 뒤늦게 후회하고 달려온 이들과 그들의 수행객들이었다.

실로 뿌듯하고 가슴 벅차며 장엄하기까지 한 장관이었다.

물론 모든 준비 과정이 순탄한 것만은 아니었다.

특히 느닷없이 교룡회 사건 터지고 금해가와 태극천맹, 관아까지 나서서 검색 강화하는 바람에, 조태수는 상당히 애를 먹었다.

경매 날짜를 뒤로 미루거나 아예 중단하라고 종용받기도 했고, 심지어는 옥에 가두겠다는 협박까지 들었다.

그렇다고 물러날 조태수가 아니었다. 그는 아예 일을

더 크게 벌였다. 세상 모든 사람이 관심을 가지고 지켜보게 했으며, 각 지역의 호족, 명문가, 굴지의 상인과 무림인들이 참석하도록 했다.

종용과 협박과 외압은 더 큰 세력과 관심과 여론 앞에서는 무용지물이 된다.

신주오대세가 중 남궁세가가 경매에 참여했다는 소식이 들리고 총독의 부인이 관심을 가진다는 이야기가 들리면서, 그리고 저 대륙전장(大陸錢莊)의 후계자가 직접 동정호의 화선에 참가한다는 소문이 퍼지면서 조태수를 압박하던 종용과 협박과 외압이 사라졌다.

"봤느냐?"

조태수는 수많은 인파를 발아래로 내려다보며 조민에게 말했다.

"나 조태수, 아직 죽지 않았다."

"물론이죠."

지친 기색으로 침상에 누워 있던 조민이 당연하다는 듯이 입을 열었다.

"저를 이토록 힘들게 만드신 분이 누군데요? 죽기는 왜 죽어요?"

그녀는 문득 피식 웃으며 말을 이었다.

"영감님의 아랫도리도 아직 죽지 않았네요."

"허허허."

조태수는 껄껄 웃으며 말했다.

"그래. 죽기에는 아직 한창때인 게지."

그는 돌아서며 말을 이었다.

"그럼 한 판 더 해 볼까? 이 녀석이 죽을 때까지?"

"어디 한 판 가지고 죽기나 하겠어요?"

조민이 눈을 흘기며 두 팔을 벌렸다. 비단 이불이 내려가고 그녀의 풍만한 가슴이 드러났다.

참으로 아름다운 아침이었다.

2. 인산인해(人山人海)

악양부의 거리는 그야말로 혼잡 그 자체였다. 거리는 온갖 사람들과 마차와 수레, 말이 한데 뒤섞여서 꼼짝도 할 수가 없는 상황이었다.

동정호로 빠르게 갈 수 있는 북문과 서문으로 이어지는 길들은 전부 다 그렇게 사방이 꽉 막혀 있었다.

"이러면 몇 배는 주고 산 보람이 없게 되잖아?"

마차 안에서 설벽린이 투덜거렸다.

그는 아침 식사를 끝내자마자 마차를 사러 객잔 밖으로 나섰다.

하지만 오늘 같은 날 마차를 구한다는 건 그야말로 하늘의 별 따기였다. 경매에 참여하거나 혹은 그 광경을 구경하는 이들로 인해 마차들 대부분이 동이 난 상태였으니까.

결국 설벽린은 저 금단의 미인계까지 발휘한 데다가 몇 배나 웃돈까지 얹어 주고 나서야 겨우 낡은 마차 한 대를 살 수가 있었다.

그런데 지금 이렇게 바퀴가 땅에 달라붙은 듯 꼼짝도 하지 못하게 되자, 설벽린은 더욱 약이 오를 수밖에 없었다.

"아니, 내가 구역질까지 참아 가며 온갖 교태를 부려서 겨우 산 마찬데 말이지. 어떻게 이럴 수가 있지? 차라리 걸어갔다면 벌써 도착했겠네."

설벽린은 창밖을 보며 연신 투덜거렸다. 창밖의 거리는 말 그대로 인산인해 그 자체였다.

"어쩔 수 없지. 참고 기다릴 수밖에. 그저 물결에 쏠리듯 인파에 밀려 조금씩 가다 보면 언젠가는 서문을 지나 동정호에 이르겠지."

"아이고 속 편한 말씀 하십니다, 유 사부."

"투덜거릴 시간이 있으면 운기조식이나 명상이나 참선이나 뭐라도 하게. 담호를 보라고. 이 와중에도 얼마나 수련에 열중인지 말이야."

유 노대가 힐끗 구석진 자리에 가부좌를 틀고 앉아서 명상에 잠겨 있는 담호를 바라보며 말하자, 설벽린이

"흥!" 하고 코웃음을 치며 말을 받았다.

"이렇게 흔들리는 마차에서 운기조식을 하다가 자칫 주화입마라도 걸리면 유 사부께서 책임지실 겁니까? 그리고 명상이니 참선이니 해 봤자 무공 수련에는 하등 도움도 안 되잖습니까?"

"허어, 정말 무식한 소리를 하는구나."

만해거사가 타박을 놓았다.

"운기조식이야 그렇다 치더라도 명상과 참선이 얼마나 내공 수련에 도움이 되는데. 왜 무당파 도사들이나 소림사 중들이 참선과 명상을 중요시하는지 전혀 모르고 있구나."

설벽린은 한마디 하려다가 입을 다물고 고개를 돌렸다. 그러고는 아직도 제자리에 멈춰 있는 마차의 밖을 둘러보며 투덜거렸다.

"쳇. 뭐 이렇게 온종일 꼼짝하지 않고 있다면 운기조식을 해도 주화입마에 걸릴 위험은 없겠네."

유 노대와 만해거사는 서로를 돌아보며 쓴웃음을 흘렸다.

정오 무렵이 되었을 때, 마차는 드디어 서문을 통과했다. 성문 앞의 포두와 포쾌들은 쉬지 않고 끊임없이 밀려드는 인파에 지친 듯, 그 어느 때보다도 대충 검문검색을 마치고 사람들을 통과시켰다.

하지만 고행은 끝이 아니라 이제부터 시작이었다. 성을 빠져나온 인파는 사두마차 세 대가 나란히 갈 정도로 넓은 관도를 가득 메운 채 동정호 방향으로 물결치듯 천천히 이동했다.

사람들이 시끄럽게 떠드는 소리, 그 와중에 멜대를 메고 장사하러 나온 장사꾼들의 호객 소리, 아이가 울고 떼를 쓰는 소리 등등 온갖 소음은 물론이거니와 느닷없이 벌어진 싸움으로 서로 치고받는 이들까지 그야말로 관도는 난장판이었다.

그런 와중에 태연자약하게 마부석에 앉아서 천천히 마차를 모는 강만리의 귀는 연신 쫑긋거렸다. 혹시라도 챙겨 들을 만한 정보가 있지 않을까 싶어서였다.

관도를 떠돌아다니는 시끌벅적한 소음 대부분은 이 복잡하고 지루한 행렬에 대한 투덜거림이었다.

하지만 그런 가운데 몇몇 대화는 강만리가 정신을 집중한 보람이 있는 내용을 담고 있었다.

"남궁세가가 참가하기로 한 건 헛소문이라면서?"

"조 늙은이가 아주 머리를 잘 썼어. 누가 낭추 아니랄까 봐 아주 소문을 제대로 이용할 줄 안다니까."

"흠, 그럼 조 영감이 거짓 소문을 뿌린 거야? 남궁세가가 참가한다고?"

"그렇지. 그 덕분에 다른 세가에서 관심을 갖게 되었고, 또 금해가나 태극천맹들도 움찔거리며 훼방을 놓지 못하게 되었으니까 말이지."

"이야, 정말 잔머리 하나는 대단한 늙은이군그래."

"그나저나 왜 요 며칠간 저렇게 금해가와 태극천맹이 난리를 피우는 거지?"

"음? 자네는 아직 소문 듣지 못했나? 몇몇 괴한들이 금해가와 태극천맹의 고수들을 박살 냈다더군."

"응? 아니, 왜? 어떻게?"

"일전에 금룡회가 적의 기습을 받고 거의 괴멸하다시피 했잖아?"

"그건 나도 알지. 금룡회의 파천십이룡이 절반 이상 목숨을 잃었다지, 아마?"

"뭐 어디까지나 소문이기는 하지만 말이야. 금해가와 태극천맹은 금룡회에게 그동안 상당한 거액의 뒷돈을 제공받고 있었나 봐. 그래서 그들이 나서서 금룡회를 도와주려다가 외려 큰코다치게 된 거라더군."

"호오. 그러니까 금해가와 태극천맹이 자존심이 상한 게로군그래? 하하, 아주 꿀맛이군 이거."

"그렇지? 안 그래도 태극천맹과 오대가문을 등에 업고 천하 상권을 쥐락펴락하려는 금해가가 영 마음에 들지 않았는데, 아주 꼴좋게 되었네."

"그런데 천하의 누가 감히 잠자는 사자의 콧털을 건드렸을까?"

"아, 그게 말일세. 실은 금해가만 문제가 생긴 게 아닌 모양이네."

"음? 그건 또 무슨 소리인가?"

"무적가와 철목가도 상당한 문제가 생겼는지 거의 봉문하다시피 했다는 게야."

"그래?"

"그래. 내가 개방의 수뇌부 중 아는 이가 있는데 그가 이야기를 해 주더군. 천하의 흐름이 수상하니 단단히 돈줄 꽉 잡고 있으라고 말이지."

"흐음, 그럼 다시 강호에 전란이 일어난다는 겐가?"

"그야 모르지. 어쨌든 나는 지금 병장기와 쌀, 밀 등을 중점적으로 구매하는 중일세."

"호오."

강만리가 엿듣는 이야기는 호위무사들과 함께 관도를 따라 동정호로 향하는 일단의 상인들이 나누는 대화뿐만 아니었다.

"초청장이 없어도 그 화선에 오를 수 있다고?"

"입장하는 입구에서 전표 다발을 보여 주면 된다던데?"

"이런 젠장. 일개 무림인들 중 누가 수백만 냥이나 되는 전표를 가지고 있다고?"

"그러니까 상인들의 호위 무사가 되어서 따라 들어가는 수밖에."

"하지만 아직도 호위 무사를 구하지 못한 상인이 있을 리가 없겠지. 설령 있다 해도 조무라기 장사꾼들 뿐일 텐데."

"뭐, 예서 왈가왈부해 봤자 무슨 소용이 있겠는가. 가서 상황을 지켜보면서 계획을 세울 수밖에."

뭔가 수상쩍은 무리가 은밀하게 나누는 대화도 강만리의 청력을 벗어나지 못했다.

강만리가 한동안 그렇게 주변 행인들의 대화를 엿듣고 있을 때였다.

마차의 문이 열리고 조그마한 짐승 같은 형체가 날렵하게 마차 지붕 위로 오르더니 이내 쪼르르, 강만리의 옆자리로 달려와 앉았다. 담호였다.

강만리는 돌아보지도 않고 물었다.

"답답하더냐?"

담호가 어색한 미소를 지으며 대답했다.

"바람 좀 쐬려고요."

"생각보다 바람이 불지 않는구나. 호숫가라 좀 시원할 줄 알았더니."

강만리는 정면을 응시하며 말했다.

저 멀리 악양루가 보였다. 비탈 위에 세워진 삼 층 누각이 웅장한 자태로 동정호를 내려 보고 있었다.

담호는 가만히 악양루를 지켜보다가 다시 관도 주변의 사람들을 이리저리 둘러보았다.

관도 중앙으로는 끊이지 않는 마차의 행렬이 이어졌고 그 좌우로 수백, 수천 명의 행인들이 옴짝달싹도 하지 못한 채 인파의 물결에 떠밀려 앞으로 나아가고 있었다.

"이 사람들 모두 그 경매에 참석하는 건가요?"

"설마."

담호의 질문에 강만리는 가볍게 눈살을 찌푸리며 대꾸했다.

"열에 아홉은 그저 구경하는 이들이지. 나머지 하나 정도가 경매에 참석하거나 혹은 다른 꿍꿍이를 가지고 가는 이들이고."

"다른 꿍꿍이라면요?"

"수백만 냥의 경매가 아니더냐? 경매에 참석하려는 상인들 모두 당연히 그 정도의 돈을 가지고 있을 테고. 열 명이 참가하면 수천만 냥이, 백 명이 참가하면 수억만 냥이 저 동정호 일대로 모여드는 것이다."

"아!"

담호는 크게 고개를 끄덕였다.

"누군가에게 있어서는 크게 한몫 챙길 기회겠네요."

"그렇지."

강만리도 고개를 끄덕이며 중얼거렸다.

"경매가 열리든 싸움이 벌어지든 여하튼 오늘은 꽤 긴 하루가 될 것 같구나."

3. 수상길

악양루 인근 수십 리 기슭에는 돗자리를 깔고 양산(陽傘)을 쓴 사람들로 가득 메워져 있었다. 수백 척의 조그만 나룻배들도 연안으로 몰려와 구경꾼들을 태우기 위해 소리 높여 호객하고 있었다.

"호오, 장관이로구나."

만해거사가 눈을 가늘게 뜨며 감탄했다.

동정호 한가운데에는 거대하고 화려한 화선이 한 척 떠 있었고, 주변으로는 수십 척의 용선(龍船)이 원형을 그린 채 구경꾼들의 접근을 막고 있었다. 용선을 타고 있는 자들은 아마도 조태수가 고용한 무사들일 것이다.

또한 악양루 기슭 아래에는 물 위로 사각형의 커다란 수상대(水上臺)를 띄워서 화선으로 이어지는 수상길로 이어지게 만들어 두었다. 수상대에는 십여 명의 사람들이 의자와 탁자를 가져다 놓고 방명록을 준비하고 있었다.

"유시(酉時:오후 5시~7시)부터 경매가 시작한다고 했는데 벌써 이렇게 사람들이 모여들었구나."

"늦게 오면 자리가 없으니까요."

"그렇기는 하지. 오호, 화선의 입장객은 벌써부터 받나 보구나."

유 노대의 말에 사람들의 시선이 기슭 아래 수상대로 쏠렸다. 방명록 준비를 끝낸 사람들이 한 명씩, 줄을 선 상인들을 수상대 쪽으로 안내하고 있었다.

"그럼 우리도 가 볼까?"

강만리의 말에 따라 일행은 우르르 수상대로 몰려갔다.

수상대까지 가는 길목마다 구경꾼들로 가득 차 있었고, 또 의외로 경매에 참석하려는 이들의 행렬 또한 상당히 길어서 강만리 일행이 수상대 위로 오르게 된 건 그로부터 한 시진이 훌쩍 지난 후의 일이었다.

"초청장을 보여 주시지요."

접객과 방명록을 담당하는 중년 사내가 말하자, 강만리가 무뚝뚝하게 대꾸했다.

"없소. 대신 전표가 있소."

강만리는 관도에서 엿들었던 상인들의 대화를 기억하고는 품에서 전표 한 다발을 꺼내 보여 주었다.

중년 사내는 신중한 눈빛과 섬세한 손길로 전표 다발을

일일이 확인하고는 고개를 끄덕이며 방명록을 펼쳤다.

"어디에서 오신 누구라고 적을까요?"

강만리가 살짝 망설일 때, 뒤에 서 있던 나찰염요가 입을 열었다.

"남창의 환희루주(歡喜樓主)라고 적으세요."

"아, 환희루주……."

중년 사내는 익히 들어 알고 있다는 얼굴을 하며며 나찰염요를 바라보았다. 그 전설의 환희루주가 과연 저런 미인이었구나, 하는 감탄의 표정이 중년 사내의 얼굴 위로 스며 들었다.

"그럼 다른 분들은……."

"제 호위들이에요."

"알겠습니다. 이 명패를 가지고 가시지요. 길은 저 아이가 안내할 겁니다."

중년 사내는 방명록을 덮고는 나찰염요에게 명패를 건네주었다. 수상길 입구에서 대기하고 있던 어린 시녀가 고개를 꾸벅하고는 강만리 일행을 수상길로 안내했다.

수상대도 출렁거렸지만 수상길은 출렁임이 더 심해서 한 걸음 내디딜 때마다 삐끗 기울어지면서 그대로 물에 빠질 것만 같았다.

"무공이 없으면 아예 걷지도 못하겠군."

유 노대는 중얼거리다가 앞서 나는 듯 걸어가는 어린

시녀를 보고는 고개를 끄덕였다.

"무공을 익힌 것 같지도 않은데 상당히 균형을 잘 잡는 걸 보면, 자질이 상당히 뛰어난 것 같군."

그 말을 들었는지 만해거사가 웃으며 입을 열었다.

"왜? 이번에는 계집을 제자로 두게?"

"제자는 무슨. 그냥 자질이 뛰어나 보인다는 게지."

두 사람의 대화에, 여인으로 변장하고 있던 설벽린이 끼어들었다.

"기루나 객잔의 어린 시녀, 소동(小童)들이 워낙 많은 일을 하거든요. 요리와 음식으로 가득 채워진 쟁반을 들고 오르락내리락해야 하고, 물도 물통 가득 떠와야 하고, 그렇게 매일 일하다 보면 저절로 균형 감각이 좋아지는 거죠."

"호오. 그러니까 마치 소림사나 무당파의 어린 제자들이 수련하는 방식처럼 일하는 모양이군."

유 노대는 고개를 끄덕이며 중얼거리다가 문득 생각났다는 듯 앞서 걷던 나찰염요에게 말을 건넸다.

"알고 보니 그 유명한 환희루의 주인이셨구려."

나찰염요가 뒤를 돌아보며 방긋 웃었다.

"언제 한번 놀러 오세요."

"허험. 이 나이에 무슨."

"그럼 제가 가죠. 제가 가도 괜찮겠죠, 형수?"

설벽린이 또 끼어들자, 나찰염요가 웃는 낯으로 대답했다.

"그럼요. 아주 인기가 많은 기녀가 될 거예요, 지금의 도련님이라면."

미모의 설벽린은 인상을 찌푸렸고, 유 노대는 껄껄 웃음을 터뜨렸다.

앞서 걷던 담호가 고개를 갸웃거리며 물었다.

"환희루가 어떤 곳인데요?"

나찰염요가 그의 머리를 쓰다듬으며 말했다.

"아직은 몰라도 된단다."

그렇게 두런두런 대화를 나누면서 수상길을 걷다 보니 어느새 그들은 동정호 한가운데에 이르렀다.

워낙 수상길이 수면과 밀접하게 닿아 있어서 마치 물 위를 걷는 것처럼 느껴졌다.

거기에 동정호의 찰랑거리는 물소리, 시원한 바람, 고즈넉한 풍경, 그 모든 것들과 함께 참으로 묘한 기분이 들어 사람들의 표정이 풍부해졌다.

물론 모든 이들이 그렇게 감상에 젖는 건 아니었다.

"이러다가 빠져 죽겠네!"

"날 업고 가라!"

강만리 일행의 뒤쪽에서는 물에 빠질까 봐, 물이 옷에

튈까 봐 두려워하고 걱정하는 참가자들의 고함 소리가
쉴 새 없이 들려왔다.

그런 가운데 강만리 일행은 무사히 화선에 들어섰다.
유 노대는 종과 횡으로 엮고 묶여 있는 오십여 척의 화선
을 둘러보며 감탄하듯 말했다.

"이건 마치 조맹덕(曹孟德)이 적벽(赤壁)에서 제 선박
들을 쇠사슬로 꽁꽁 묶은 것과 같은 모양이로구나."

설벽린이 피식 웃으며 참견했다.

"그렇다면 화공이 일면 우리 모두가 죽겠네요."

"쓸데없는 소리. 어서 위층으로 오르기나 해라. 저 꼬
마 아가씨가 기다리고 있지 않느냐?"

유 노대가 금방이라도 설벽린의 엉덩이를 걷어찰 것 같
은 시늉을 하면서 말하자, 설벽린은 보란 듯이 엉덩이를
씰룩거리며 걸었다.

유 노대는 "쳇." 하고 혀를 차면서 그 뒤를 따라 이 층
으로 올랐다.

이 층에는 선수(船首)에 세워진 삼 층 단상을 마주 보
고 수백 개의 탁자가 줄을 맞춰 도열해 있었다. 자리마다
임자가 미리 정해져 있는 듯 경매에 참가한 무리는 각자
안내에 따라 자신들의 탁자로 향했다.

강만리 일행의 탁자는 선수에서 가장 멀리 떨어진, 선
미(船尾)의 구석진 자리에 자리하고 있었다. 강만리가 가

법게 눈살을 찌푸리고는 어린 시녀에게 말을 건넸다.

"단상과 가까운 자리에 앉고 싶은데."

어린 시녀는 정중하게 말했다.

"죄송합니다. 손님들을 이리로 모시라는 지시인지라 어쩔 수가 없습니다."

"아무래도 초청장을 받은 인사들을 앞자리에 앉게 하고 그렇지 않은 참가자들을 뒤로 앉게 배치를 한 모양이네."

유 노대의 말에 만해거사가 인상을 찌푸리며 말했다.

"가서 우리가 물건의 주인이라고 말하면……."

"됐습니다. 괜히 분란을 일으킬 필요가 어디 있겠습니까?"

담우천이 자리에 앉으면서 말했다. 그러자 나찰염요도 따라 옆자리에 앉으며 말을 받았다.

"단상이 높아서인지 여기에서도 잘 보이네요."

그들 두 사람이 자리에 앉자 다른 이들도 어쩔 수 없다는 듯 자리를 찾아 앉았다.

"차와 간단한 간식을 가져오겠습니다. 식사는 유시 전에 준비될 겁니다. 그럼 편히들 쉬세요."

어린 시녀는 외운 대로 이야기를 한 후 꾸벅 인사를 하고는 쪼르르 달려갔다.

사람들이 차와 간식이 나오기를 기다리며 잠시 주변을 둘러볼 때였다. 저 악양루 기슭에 모여 있던 관중들이 일제히 함성을 내지르는 소리가 우렁우렁 울려 퍼졌다.

만리들은 동시에 수상길로 시선을 돌렸다.

금방이라도 물에 빠질 것처럼 아슬아슬한 나무판자, 그 위로 네 명의 장한이 커다란 교자(轎子)를 어깨에 멘 채 나는 듯이 달리고 있었다.

더더욱 놀라운 것은 교자 위에 비스듬히 앉아 있는 중년인의 체구였다.

천축의 내공을 몸에 둘렀을 때의 만해거사처럼 거대하고 뚱뚱한 체구. 그 체구의 중년인을 교자에 싣고서도 장한들은 거침없이 달리고 있는데도 나무판자와 대나무로 만들어진 수상길은 거의 미동도 하지 않았다.

"호오, 제법 실력이 좋군그래."

유 노대가 눈을 가늘게 뜬 채 중얼거렸다.

"저런 고수들을 하인으로 둘 정도라면 결코 이름 없는 자는 아닌 것 같은데."

"무림인 중에 저리 뚱뚱한 사람은 오직 만해 사부뿐이니 아마도 상가 쪽 사람일 듯하네요."

설벽린의 말에 만해거사가 입을 삐죽였다.

동정호가 들썩거릴 정도의 환호성으로 분위기가 고조된 듯, 혹은 장한들의 재주에 호승심이라도 인 듯 뒤이어 수상길에 오르는 이들의 움직임이 점점 더 화려해지기 시작했다.

어떤 이는 뒷짐을 진 채 두 발을 움직이지도 않고 미끄러지듯 움직여 수상길을 건넜다. 또 어떤 이는 크게 도약했다가 삼사 장의 허공을 활강하기를 반복하며 수상길을 뛰어넘기도 했다.

묘기와도 같은 재주가 선보여질 때마다 기슭에 모여 있던 관중들은 박수를 치고 환호성을 질렀다. 이제 관중들은 평범하게 걸어서 수상길을 건너오는 이들을 보며 야유를 보내기도 했다.

"오오."

하지만 유 노대는 사뭇 달랐다.

"지금 저기 중간 즈음에 걸어오는 이들 좀 보게나."

그의 손가락을 따라 사람들의 시선이 움직였다.

삿갓을 쓴 검은 무복의 다섯 명이 천천히 수상길을 따라 걸어오는 중이었다.

그들의 움직임은 다른 이들에 비해 극히 평범했으며, 수상길은 그들이 발을 내디딜 때마다 좌우로 출렁거렸다. 딱히 놀랄 것도, 이상하게 여길 부분도 없었다.

담호는 이해가 가지 않는다는 얼굴로 잠시 지켜보다가 유 노대를 돌아보았다. 유 노대는 진심으로 감탄한 표정을 지으며 유심히 삿갓 쓴 자들을 지켜보다가 입을 열었다.

"보법이 극에 달했구나. 자연 그대로의 움직임이다."

담호는 고개를 갸우뚱거리고는 다시 삿갓 쓴 자들을 돌

아보았다.

평범했다. 얼마든지 볼 수 있는 걸음걸이. 평범하고 자연스러운 움직임.

왜 저 모습을 보고 그렇게 극찬하는 걸까.

담호의 의구심이 깊어질 때, 유 노대는 마치 담호에게 말하듯 입을 열었다.

"다른 이들이 걷는 모습을 보면 알게 될 게다. 저들이 얼마나 완벽하게 걷는지 말이다."

담호는 삿갓 쓴 자들의 뒤에서 걸어오는 한 무리의 사람들에게로 시선을 돌렸다. 상인과 그를 호위하는 무사들인 듯 보였는데, 그들 또한 평범하게 수상길을 따라 걸어오고 있었다.

담호는 잠시 그들을 지켜보다가 문득 깨닫는 바가 있어서 눈을 크게 떴다.

'그렇구나!'

상인과 호위 무사들이 걷는 모습은 다들 제각기였다. 사람들이 서로 다른 모습으로 걷는 건 물론이거니와 개개인마저도 걸을 때마다 그 움직임이 일정하거나 똑같지 않았다.

걸음걸이도 다르고 보폭도 다르고 걸을 때마다 들썩이는 어깨나 손놀림도 매번 달랐다.

그들은 계속해서 일정한 자세로, 한 점 흐트러짐 없이,

인형과도 같이 움직이지 않았다. 물결이 세찰 때는 조금 더 어깨가 크게 움직였고, 발을 디디는 무게 중심도 달라졌다.

순간순간마다 그들의 걸음걸이와 동작에는 약간의 변화와 미세한 차이가 있었던 것이다.

하지만 삿갓을 쓴 자들은 그렇지 않았다.

그들은 처음부터 끝까지 일정한 자세를 자연스럽게 유지하고 있었다. 수상길 위로 물결이 넘쳐흐를 때나, 바람이 불어서 수상길이 크게 출렁일 때나 그들은 한결같은 걸음과 한결같은 동작으로 수상길을 걸었다.

"나중에 한번 직접 걸어 보거라. 수많은 사람이 지켜보는 가운데 저렇게 흔들리고 출렁이는 수상길을 자연스럽고 완벽하게 걷는 것이 얼마나 힘든 일인지 알게 될 테니까."

유 노대는 막 거대한 화선으로 들어서는 삿갓 쓴 자들에게서 시선을 떼지 않은 채 중얼거렸다.

"도대체 어느 방면의 고수들인지 전혀 알 수 없구나. 저런 자들이 계속해서 화선에 오르는 걸 보니…… 아무래도 오늘은 생각보다 긴 하루가 될 것 같다."

담호는 가볍게 입술을 깨물었다. 정신을 똑바로 차리고 있어야겠다는 생각이 든 까닭이었다.

5장.
화선(畫船)의 사람들

화선은 기존의 화방(畵舫)이나 채주(彩舟)들과 더불어
용이나 봉황 따위의 모양으로 꾸미고 그림을 그려 곱게 단청을 한 놀잇배,
혹은 기녀와 무희(舞姬)를 태운 유람선의 의미로 사용되었다.

1. 경매

화선은 원래 궁중에서 춤과 노래로 하는 연희인 정재(呈才)를 베풀 때 사용하는 화려하게 꾸민 배를 뜻했다.

하지만 세월이 흐르면서 화선은 기존의 화방(畫舫)이나 채주(彩舟)들과 더불어 용이나 봉황 따위의 모양으로 꾸미고 그림을 그려 곱게 단청을 한 놀잇배, 혹은 기녀와 무희(舞姬)를 태운 유람선의 의미로 사용되었다.

오십여 척 화선을 엮어서 만든 이 거대한 화선으로 경매에 참석할 인사들이 속속들이 입장했다. 수백 개의 탁자는 금세 사람들로 가득 찼다.

탁자마다 앉는 사람들의 수는 저마다 달랐다. 여덟 명

이 앉은 자리도 있었고 세 명이 앉은 자리도 있었으며 심지어는 혼자서 그 넓은 탁자를 차지한 인물도 있었다.

참석자들이 모두 들어설 무렵 해가 저물기 시작했다. 어느새 유시로 접어든 것이다.

화선으로 이어지는 수상길의 문이 닫혔다. 화선 주변으로 횃불을 밝힌 용선들이 모여들었다.

곧이어 펑! 펑! 소리와 함께 폭죽이 사방에서 피어올랐다. 아직도 악양루 기슭을 가득 메운 관중들이 환호성을 올리며 손뼉을 쳤다.

수십 발의 폭죽이 매캐한 연기와 함께 동정호 하늘 높이 솟구치는 가운데, 백여 명에 달하는 기녀와 하인들이 저마다 바쁘게 돌아다니며 탁자에 술과 요리들을 올려놓았다.

조태수가 비싼 돈을 들여 악양에서 가장 유명한 객잔과 기루에서 차출해 온 기녀와 하인들이었고 또 술과 요리들이었다.

하지만 대부분의 사람들은 요리에 손을 대지 않았다. 몇몇 이들이 술을 홀짝거릴 뿐, 사람들의 시선은 삼 층 단상에 고정되어 있었다.

단상에는 아름다운 기녀들이 나와 북과 피리 소리에 맞춰 춤을 추었다. 경매가 시작하기 전까지의 여흥인 셈이다.

조태수가 엄선하여 뽑은 만큼 하나같이 아름답고 우아한 기녀들이 멋들어진 춤사위를 펼쳤지만, 지켜보는 참가자들의 얼굴에는 지루한 기색이 역력했다.

이윽고 기녀들이 물러가고 단상은 텅 비워졌다. 이제 경매가 시작될 차례였다.

둥! 둥! 둥!

북소리가 울리면서 단상 뒤의 가림막이 열렸다. 열린 막을 통해 한 명의 노인이 한 명의 아름다운 여인과 함께 천천히 걸어 나왔다.

여인의 양손에는 화려한 비단으로 쌓인 쟁반이 들려 있었는데, 사람들의 시선은 온통 그 쟁반으로 쏠렸다.

노인, 조태수는 만면에 미소를 머금은 채 거대한 화선이 층 갑판을 둘러보았다. 수백 개의 탁자를 가득 메운 참석자들. 그들 모두 각 지역에서 내로라하는 거상(巨商)이며 거간꾼이며 호족이며 명문가의 인물들이었다.

"보이느냐? 내가 얼마나 대단한 사람인지 알겠느냐?"

조태수는 수정루의 기녀, 운화 조민에게 소곤거렸다. 쟁반을 들고 있던 조민은 고개를 끄덕이며 말했다.

"정말 대단하세요. 말 한마디에 이렇게 많은 고위 인사들을 불러 모으다니요."

물론 말 한마디로 모든 게 이뤄진 건 아니었다. 이런 장관을 만들어 내기까지 수십만 냥의 돈과 사람, 노력이 들어갔다.

마지막 거간질을 제대로 끝내기 위해서, 그리고 자신이 아직 죽지 않았다는 걸 조민에게 보여 주기 위해서, 조태수가 지난 보름여 간 벌인 역작이었다.

"탁자 위에 내려놓거라."

조태수의 말에 따라 조민은 들고 있던 쟁반을 단상에 마련되어 있는 탁자 위에 조심스레 내려놓은 후, 다시 세 걸음 뒤로 물러났다.

조태수는 헛기침을 하며 입을 열었다.

"공사다망(公私多忙)하신 가운데에도 이렇게 제 초대에 응해 주신 여러분께 진심으로 감사드리오."

일순 단상에서 가장 멀리 떨어진 선미 쪽 탁자에 앉아 있던 인물 중 하나가 크게 소리쳤다.

"들리지 않소! 좀 더 크게 말씀하시오!"

조태수는 다시 헛기침을 한 후 뒤를 돌아보았다.

기다렸다는 듯이 가림막 사이로 한 명의 중년 무사가 걸어 나오자, 조태수가 그를 향해 말했다.

"수고해 주시게."

중년 무사는 가볍게 고개를 끄덕이며 말했다.

"받은 돈만큼 해 드리리다."

조태수가 다시 입을 열었다.

"단도직입적으로 말씀드리겠소이다."

중년 무사가 그 뒤를 이어 우렁찬 목소리로 소리쳤다.

"단도직입적으로 말씀드리겠소이다!"

그의 목소리는 내공이 실렸는지 선미 뒤쪽은 물론 악양루 기슭에까지 쩌렁쩌렁 울려 퍼졌다. 너무 멀리 떨어져 있어서 제대로 볼 수도, 들을 수도 없다고 투덜거리면서 막 자리에서 일어나려던 관중들이 황급히 도로 앉았다.

"이번 건은 워낙 많은 분이 참가하시는 바람에 경매가 아니라 입찰 방식으로 진행하려 했소!"

중년 무사는 조태수의 말을 그대로 따라 외쳤다. 조태수는 그의 외침이 끝나기를 기다렸다가 재차 입을 열었다.

"하지만 대다수의 참가자들께서 원하시고, 또 흥행의 성공을 위해서라도 경매가 낫다는 의견이 많아서 다시 경매 방식으로 진행하겠소이다."

중년 무사가 앵무새처럼 외쳤다.

일순 선상에 모여 있던 이들이 술렁거렸다. 입찰인 줄 알고 왔던 이들은 상당히 당황해하는 표정을 지었지만, 앞자리의 인물들은 미리 연락을 받은 듯 평온한 모습이었다.

"경매 방식은 간단하오. 열을 헤아릴 때까지 가장 높은 금액을 부르는 이가 물건을 차지하게 되는 것이오!"

다시 중년 무사가 외쳤다.

사람들의 웅성거림이 잦아들었다. 그들은 곧 신중한 표정을 지으면서 동료, 혹은 수하들과 함께 작전을 짜기 시작했다.

경매에도 작전이 필요했다. 입찰이야 자신이 생각한 최고 금액을 적는 것으로 끝나지만 경매는 치열한 눈치 싸움, 머리 굴리기가 필요했다.

돈이 화수분에서 나오는 것도 아니고, 경쟁자도 무려 삼백 명이 넘었다. 선택은 최소 한도로 좁혀야 했다. 집요할 정도로 집중해야 하지만, 또 포기는 빨라야 했다.

이윽고 조태수는 화려한 비단에 가려진 물건들을 선보였다. 일순, 앞자리의 참가자들 입에서 얕은 신음성이 흘러나왔고 그것은 곧 물결치듯이 뒷자리로 번져 나갔다.

눈이 나쁜 자들은 잠시 양해를 구하고 단상 앞까지 다가와 물건을 세밀하게 관찰했다.

비록 조태수가 보증하고 확인했다고는 하지만 은자 수백만 냥의 가치가 있는 물건들이었다. 자신의 두 눈으로 직접 살피고 확인하는 게 당연한 일이었다.

쟁반 위의 물건은 모두 네 알의 아기 주먹만 한 크기의 부조(寶珠)였다. 추위를 타지 않게 만들어 주는 피한주(避寒珠)가 두 알, 더위를 가시게 하는 피서주(避暑珠)가 한 알, 그리고 독에 중독되지 않게 해 주는 피독주(避毒珠)가 한 알이었다.

단상 앞까지 몰려들어서 보주들이 진품인지 가품인지 감정하던 이들이 모두 자리로 돌아간 이후에도 한동안 웅성거림은 멈추지 않았다.

　한 알로 성 하나를 살 수 있다는 가치를 지닌 보주가 무려 네 알이나 모습을 드러낸 것이다. 탐욕의 눈빛이 일렁거렸고 가시지 않는 갈증으로 마른침을 삼켰다.

　조태수는 단상에 우뚝 선 채 그 웅성거림을 즐기고 있었다. 웅성거림이 오래갈수록, 탐욕의 빛이 깊어지고 갈증이 깊어질수록 가격이 올라간다는 걸 잘 알고 있는 까닭이었다.

　이윽고 어느 정도 시간이 흘러 그 웅성거림이 잦아들 무렵, 조태수는 비단 보자기로 두 알의 피한주를 조심스레 들어 올리며 말했다.

　"첫 번째 경매는 두 알의 피한주이오! 부부가 함께 지니면 가지 못할 곳이 없게 되오! 한겨울에도 저 북풍한설 휘몰아치는 설산에 오를 수 있고, 북해의 호수에서 신비한 물고기를 잡아다가 구워 먹을 수도 있소이다! 한 알에 은자 백만 냥부터 시작하겠소! 더 높게 부르고 싶은 분은 최소한 십만 단위로 불러 주시오!"

　중년 무사의 고함 소리에 이번에는 저 멀리 악양루 기슭에 운집해 있던 관중들이 웅성거렸다.

　은자 백만 냥이라니!

자신은 물론 대대손손 떵떵거리며 살고도 남는 금액이었다. 그런 거금을 들여서 겨우 아기 주먹만 한 구슬을 사는 미친놈들이 저 거대한 화선 타고 있는 것이다.

한편 조태수가 은자 백만 냥으로 시작했지만 경매는 쉽게 불이 붙지 않았다. 사람들은 서로 눈치만 볼 뿐 쉽게 손을 들거나 입을 여는 이가 없었다.

'으음, 내가 초반부터 너무 세게 부른 건가?'

조태수의 얼굴이 살짝 일그러지는 순간이었다. 중간 즈음에 앉아 있던 장사꾼 차림의 중년인이 손을 들며 외쳤다.

"이백십만!"

그게 신호였다. 순식간에 두 개의 피한주 가격은 이백칠십만 냥까지 올랐다. 누군가 삼백만 냥을 외쳤고, 다시 삼백삼십만의 호가(呼價)가 나왔다. 그제야 비로소 쉴 새 없이 빠르게 진행되던 호가 행진이 멈췄다.

'보름 내에 팔아 치우면 내 몫이 이 할이라고 했으니 이것만 해도 육십육만 냥이 떨어진다.'

조태수는 만족한 표정을 지으며 느긋하게 열을 헤아리기 시작했다.

그를 따라 외치는 중년 무사의 입에서 아홉이라는 숫자가 흘러나오는 순간, 앞자리에 앉아 있던 뚱뚱한 체구의 중년인이 귀찮다는 듯이 손을 들어 올리며 말했다.

"사백만."

예의 그 네 명의 건장한 하인들이 멘 교자 위에 비스듬이 누운 채 수상길을 건너온 인물이었다.

일순 사람들의 입이 떡 벌어졌다.

흥정만 잘하면 개당 백만 냥에 살 수 있는 피한주 두 알을 무려 두 배 가격인 사백만 냥에 사겠다는 게다. 그 무식해 보일 정도로 과감하고 담대한 행동 앞에서 어느 누가 손을 들고 입을 열 수 있겠는가.

'그래, 사실 피한주가 그래도 저 중 가장 필요 없기는 하지. 누가 굳이 설산을 오르고 북해에 가서 물고기를 먹겠어?'

'나는 피서주를 노리겠어. 아무래도 그게 가장 귀하고 좋은 보물이니까 말이야.'

사람들은 저마다 입을 꾹 다문 채 그렇게 포기의 이유를 찾으며 스스로를 정당화했다.

"아홉! 이제 마지막이오! 사백십만, 없으시오?"

중년 무사의 외침이 끝나자마자 조태수는 거대한 공처럼 뚱뚱한 중년인을 향해 공손하게 인사하며 말했다.

"두 알의 피한주는 대륙전장의 장주께서 차지하셨소이다."

일순 선상에 있던 모든 이들이 깜짝 놀라 눈을 휘둥그레 떴다.

"대륙전장의 장주?"

"저 뚱…… 아니, 저분이 대륙전장주란 말이야?"

사람들은 저마다 믿을 수 없다는 표정을 지은 채 넋두리를 하듯 중얼거렸다.

그랬다. 믿을 수 없게도 이 거대한 체구의 중년인이 바로 대륙전장의 주인이었던 것이다.

대륙전장은 대륙에서 가장 신뢰도가 있는 전표를 발행하는 곳이었다.

만약 대륙전장이 무너진다면 대륙 전체의 경제가 무너진다는 소리가 있을 정도로 엄청난 영향력을 지닌 곳이었으며, 대륙 전역에 천 개가 넘는 지점을 두어 대륙의 상권(商圈)과 금권(金圈)과 경제가 원활하게 돌아갈 수 있도록 해 주는, 그야말로 대륙의 심장과 혈관의 역할을 맡고 있는 곳이었다.

대륙전장의 장주는 워낙 바깥출입을 자제하는 까닭에 그의 진면목을 아는 사람이 채 백 명도 되지 않는다고 하는 만큼, 이곳 화선 선상에 모인 참가자들 모두 명망 높은 인사들이었으나 그를 알아보는 사람은 오직 조태수 한 명뿐이었다.

그렇게 사람들이 놀라 입을 다물지 못하고 있을 때, 조태수는 두 번째 물건에 대한 경매를 시작하고 있었다.

"이번에는 피서주에 대한 경매를 시작하겠소!"

중년 무사가 목에 힘줄이 설 정도로 크게 외쳤다.

2. 누가 피독주(避毒珠)를 원하는가

"이번 피서주도 은자 백만 냥부터 시작하오! 호가 역시
만부터 올릴 수 있소!"

중년 무사가 외쳤다.

추운 날보다는 무더운 날이 더 긴 강남의 사람들에게는
아무래도 피한주보다 피서주가 더 유용했고 또 그만큼
비싸야 했다.

하지만 생각보다 호가가 쉽게 오르지 않았다. 대륙전장
의 장주가 처음부터 워낙 크게 치고 나가는 바람에 사람
들은 다들 그의 눈치를 살피고 있었다.

'저렇게 뚱뚱하니 더위를 잘 타겠지? 당연히 피서주도
노리고 있을 거야.'

'괜히 나섰다가 사지도 못하면 무슨 창피더냐? 차라리
이번 건 포기하고 피독주나 노리자.'

대부분의 사람이 그렇게 지레짐작, 미리 포기한 가운데
몇 명의 사람만이 서로 호가를 주고받으며 가격을 높였
다.

그러나 은자 백만에서 시작된 호가는 제법 시간이 흘렀

음에도 불구하고 백오십만 냥도 채 되지 않았다.

"백사십칠만!"

"백사십구만!"

몇몇 사람들이 서로 경계하면서 조금씩 호가를 올릴 때였다. 대륙전장의 장주가 다시 귀찮다는 표정을 지으며 힘겹게 손을 들고 입을 열었다.

"이백만."

사람들이 웅성거렸다. 역시나 하는 표정들이 역력했다.

그동안 호가를 올렸던 이들은 낙담한 듯, 혹은 포기한 듯 시선을 떨구거나 고개를 외면했다. 이번에도 보주는 대륙전장주의 것이 될 모양이었다.

아니나 다를까. 중년 무사가 열을 헤아리는 동안 다른 참가자가 나타나지 않았다. 결국 피서주 또한 대륙전장의 장주의 차지가 되었다.

"뭐야? 이렇게 되면 굳이 예까지 올 필요가 아예 없었네."

"그럼 마지막 남은 피독주까지도 챙기겠지? 거 정말 욕심 많은 사람일세."

"하기야 그런 욕심이 없다면 저 대륙전장의 주인이 될 수 없었겠지."

사람들은 투덜거렸다. 그들의 표정과 눈빛과 목소리에는 질투와 선망의 빛이 공존하고 있었다.

반면 조태수는 입이 찢어지는 걸 억지로 참고 있었다.

'육백만 냥이면 백이십만 냥이 내 몫이군그래.'

게다가 아직 피독주도 남아 있었으니, 그야말로 예상을 훨씬 뛰어넘는 거액을 벌어들이게 되었다.

사실 대륙전장주가 직접 참가할 줄은 조태수도 전혀 모르고 있었다. 애당초 그에게는 초청장조차 보내지 않았으니까.

'복신(福神)이 찾아온 게다.'

조태수는 그렇게 생각하면서 마지막 보주, 피독주를 경매에 부쳤다.

"역시 은자 백만부터 시작하오! 호가는 일만씩……."

중년 무사의 외침이 끝나기도 전이었다. 선상 후미 쪽에서 젊은 목소리가 성급하게 튀어나왔다.

"이백만!"

이내 사람들이 웅성거리며 뒤를 돌아보았다.

한꺼번에 백만을 올리다니, 미친놈이라느니 경매를 할 줄 모르는 무뢰한이라느니 하는 볼멘소리들이 사방에서 튀어나왔다.

경매가 진행되는 동안 계속해서 지루하고 심드렁한 표정을 짓고 있던 대륙전장의 장주도 흥미를 보이고 힘겹게 어깨를 틀어 뒤를 돌아보려 했다.

하지만 워낙 뚱뚱한 체구라 뒤를 돌아보는 행동이 쉽지 않았다. 주변에 시립해 있던 네 명의 크고 건장한 하인들이 재빨리 의자를 통째로 들고 방향을 바꿨다.

　그러자 대륙전장 장주의 시선 정면으로 젊은이 한 명이 들어왔다.

　이십대 중반가량의 젊은이었다. 격정적으로 잘생긴 얼굴에 예리하고 깊은 눈빛이 인상적인 사내였다.

　'호오. 전혀 누구인지 모르겠는데.'

　대륙전장의 장주가 청년의 얼굴을 보면서 고개를 갸웃거릴 때였다.

　"여섯, 일곱, 더 부르실 분 안 계십니까?"

　단상 위에서 중년 무사가 크게 외치는 소리가 대륙전장 장주의 상념을 깨뜨렸다.

　"아, 이백오십만."

　장주는 청년에게서 시선을 떼지 않은 채 손을 들어 호가를 제시했다. 사람들의 웅성거림이 더욱 커졌다.

　이제는 다른 사람 누구도 끼어들 수 없는 가격이 되었다. 사람들은 체념하는 대신 흥미진진한 얼굴로 청년과 장주의 얼굴을 번갈아 바라보았다.

　"삼백만."

　청년이 쉬지 않고 호가를 올렸다.

　사람들이 환호성이 터졌다. 심지어 박수를 치는 자들도 있었다.

　"그래, 안 그래도 혼자 독식하려는 대륙전장의 장주가

마음에 들지 않았거든. 잘해 보라고, 젊은 친구!"

누군가 그렇게 외치자, 사람들은 더욱 크게 환호하며 손뼉을 쳤다.

대륙전장의 눈빛이 서늘해졌다. 그는 차갑게 빛나는 눈 빛으로 한 차례 좌중을 훑어보았다. 그와 시선이 마주친 자들은 이내 자라목이 되거나 황급히 고개를 돌려 외면 했다.

찍히면 큰일이다.

이곳의 사람들은 대부분 상인들이고 또 명문가의 인물 들이었으며 각 지역의 유서 깊은 호족 출신들이었지만, 상대는 어디까지나 천하 대륙의 돈을 지배하는 대륙전장 의 장주였다. 그에게 밉보여서 좋을 게 하나도 없는 것이 다.

장주는 사람들을 일일이 돌아보면서 손을 들었다.

"삼백칠십만."

고개를 돌린 채 그의 시선을 외면하고 있던 사람 중 누 군가가 비웃듯 말했다.

"천하의 대륙전장 장주도 쫄 때가 있나 보네. 사백만도 아니고 삼백칠십만이 뭐야?"

장주가 '어느 놈이냐?' 하고 호통을 치려 하는 순간, 그 보다 먼저 예의 그 청년의 목소리가 흘러나왔다.

"사백만."

대륙전장의 장주는 이내 꿀먹은 벙어리가 된 양 입을 꾹 다물었다.

사백만 냥이라니.

그건 아무리 대륙전장의 장주라고 하더라도 예상을 훨씬 벗어난 금액이었다.

사실 그가 굳이 이곳에 친히 몸을 드러낸 까닭은 두 가지 이유에서였다.

하나는 압도적인 자금으로 호남의 모든 유명 인사들에게 자신의 존재를 똑똑히 각인시키겠다는 것이고, 다른 하나는 피한주와 피서주를 손에 넣고자 함이었다.

워낙 더위를 잘 타고 또한 추위에도 민감한 까닭에 안 그래도 피서주와 피한주 하나 정도 있으면 편하겠다고 생각했기에, 그 두 가지 보물은 반드시 손에 넣을 작정으로 이곳 악양부를 찾은 그였다.

하지만 피독주는 조금 달랐다. 굳이 피독주가 없어도 언제나 그의 곁에는 독을 검사하는 하인과 시녀들이 있었으니까.

물론 피독주 또한 들고 있으면 좋기야 하겠지만, 그렇다고 사백만 냥이 넘는 거액을 주고까지 살 정도로 그에게 가치가 있는 물건은 확실히 아니었다.

'하지만 그렇다고 이대로 물러나자니…….'

이대로 물러난다면 체면이 말이 아니게 되는 것이다.

화끈하고 압도적으로 돈을 질러서 뭇 사람들에게 자신의 존재를 각인시키겠다는 첫 번째 목표가 결국 실패로 돌아가게 되는 게다.

장주는 입술을 깨물며 고민했다. 중년 무사가 헤아리는 숫자가 느릿느릿하게 울려 퍼졌다.

'됐다.'

장주는 깔끔하게 포기했다.

화끈할 때는 화끈하더라도 포기할 때는 또 포기할 줄 알아야 했다. 거래나 도박은 그래야 했다. 미련을 가지고 단념하지 못하면 결국 자신만 손해 보게 되는 게 세상 이치였다.

천하의 대륙전장 주인답게 그는 체면보다는 실리를 선택했으며, 결국 중년 무사가 열을 헤아릴 때까지 입을 굳게 다물고 있었다.

조태수는 더없이 기쁜 얼굴로 소리쳤다.

"그럼 이 보주들의 주인이 모두 정해졌습니다! 참가해 주신 모든 귀빈들께서는 자리를 뜨지 마시고 계속 술과 요리와 함께 계속 이어질 여흥을 즐겨 주시기 바라겠습니다! 그럼 이것으로 소생 조 모의 마지막 경매를 마치겠습니다! 낙찰하신 두 분은 따로 모시겠습니다."

중년 무사가 앵무새처럼 조태수의 말을 따라 하는 동안 기녀들이 쪼르르 몰려나와 대륙전장의 장주와 젊은이를 단상 뒤쪽으로 안내했다.

젊은이가 기녀들에게 둘러싸인 채 갑판 중앙을 가로질러 단상 뒤쪽으로 걸어가자, 갑판에 있던 모든 이들이 그에게 집중하였다.

그리고 젊은이의 정체를 알아차린 몇몇 사람들은 입을 쩍 벌리거나 혹은 얼어붙은 듯 모든 동작을 멈춰야만 했다.

선미 구석진 자리에 앉아서 경매를 구경하던 강만리 일행이 그랬고, 탁자 주변을 이리저리 돌아다니며 시중을 들던 기녀 중 한 명이 또 그랬다.

"드디어……."

쟁반을 든 채 우두커니 서서 청년이 단상 뒤쪽으로 사라지는 광경을 지켜보던 기녀가 저도 모르게 중얼거렸다.

"드디어 만났구나, 예추 네놈."

그녀의 커다랗고 매혹적인 두 눈에서 흘러나오는 눈빛은 증오와 복수, 원망과 회한의 감정이 마구 뒤섞인 채 부들부들 떨리고 있었다.

3. 등하불명(燈下不明)

고래로 세상 모든 의가(醫家)와 의생(醫生)들은 만병통치(萬病通治)의 비약(秘藥)을 만들기 위해 부단한 노력을 끊이지 않았다.

고뿔, 배탈, 신경통, 학질, 등은 물론 불치병이라 알려진 대풍창(大風瘡:나병) 양매창(楊梅瘡:매독) 같은 것까지 한 번에 완치시킬 수 있는 명약. 병세를 치료하고 병의 근원을 제거하며 동시에 건강을 되찾을 수 있게 해 주는 비약.

수백 년 세월 동안 모든 의가와 의생들이 갖은 노력을 하고 온갖 방법을 강구했지만 그런 만병통치약은 결국 만들지 못했다.

만독통치(萬毒通治)의 비약 역시 마찬가지였다.

사천 당문, 오독묘, 구독문 등 세상 모든 독가(毒家)들이 작정하고 덤벼들었지만 결국 그들 역시 수백 년 세월과 수많은 인명, 그리고 수십만금(數十萬金)의 재화를 낭비했을 뿐이었다.

그래서 만병통치와 만독통치의 비약은 저 진시황제가 그토록 찾아 헤맸던 불로불사(不老不死)의 영약과 더불어 모든 이가 원하지만, 결코 구할 수도 만들 수도 찾을 수도 없는 천하삼불지약(天下三不之藥)이라고도 했다.

* * *

"젠장…… 방심했어."

그 말 한마디를 남기고 화군악은 고개를 떨궜다.

"정신 차려, 군악!"

장예추는 연신 그의 이름을 부르짖는 한편, 빠르게 화
군악의 상세를 살폈다. 피부가 퍼렇게 변하고 입가로 거
품이 흘러나오고 있었다. 전형적인 중독 증상이었다.

장예추는 황급히 전대를 풀러 그 안에서 상비약을 찾았
다. 사천당문의 여인인 당혜혜가 마련해 준 상비약 중에
는 물론 해독약도 있었다.

사천당문의 해독약은 엄지손톱만 한 크기의 검은색 환
단이었다.

―만독통치는 아니더라도 어지간한 독은 해독하거나
증상을 완화할 거예요. 당문에서도 쉽게 구할 수 없는 물
건이니까 잃어버리면 안 돼요.

장예추는 당시 당혜혜가 신신당부하던 말을 떠올리면
서 화군악의 입을 벌리고 목구멍 안쪽 깊숙이 해독약을
밀어 넣었다.

장예추는 화군악이 해독약을 삼킨 걸 확인한 후 이어서
그의 몸 곳곳을 살피며 어떻게 중독되었는지 찾으려 했
지만 어디에고 상처 부위를 쉽게 찾을 수가 없었다.

당황해하던 장예추는 문득, 발목이 잘리고 복부에 구멍

이 뚫린 채로 바닥에 쓰러진 노인이 쥐고 있는 조그마한 피리를 발견했다.

일순 장예추의 눈빛이 반짝였다.

'독피리다.'

장예추의 머리가 빠르게 돌아갔다. 그는 얼른 노인의 품을 뒤지기 시작했다.

동시에 그의 머릿속에는 과거 취몽월영이 그에게 이야기해 주었던 수많은 기인이사의 정보가 순식간에 흘러들었다가 사라지기를 반복했다.

그리고 마침내 지금 이 노인의 모습과 흡사한 한 명의 명호(名號)가 떠올랐다.

'탈명배수 왕윤.'

한때 살수 세계에서 전설처럼 군림하던 노살수(老殺手). 촌적이라는, 손가락 길이만 한 피리에 곰도 한 발에 죽일 수 있는 독을 바른 화살을 넣고 입으로 불어서 수백 명을 죽인 암살자.

'등 뒤에서 피리를 불었을 것이다. 아무리 전설적인 살수라 하더라도 군악이 정면에서 당할 리 없으니까.'

해독약은 없었다. 샅샅이 왕윤의 몸을 뒤졌지만 해독약 같은 건 보이지 않았다.

독을 사용하는 살수들은 대부분 해독약을 상비한다. 만에 하나 자칫 실수하여 자신이 중독되거나 혹은 해독약으로 자신의 삶을 흥정하게 될 때를 대비하는 것이다.

하지만 왕윤은 해독약을 가지고 있지 않았다. 그만큼 자신이 있는 것이다. 실수하지 않을 자신, 적에게 목숨을 구걸하지 않을 자신이.

'젠장!'

장예추는 아무렇게나 왕윤의 시신을 집어 던지고는 다시 몸을 돌려 화군악에게로 다가갔다.

그는 피투성이가 된 손으로 화군악의 머리카락을 헤치고 목덜미를 세밀하게 관찰했다.

상처가 있었다. 눈에 보이지도 않을 정도로 미세한 상처. 피 한 방울 묻어 나올까 말까 할 정도로 조그마한 상처였다.

장예추는 호흡을 가다듬으며 그 상처에 손바닥을 댄 다음, 내공을 이용하여 천천히 빨아들였다. 화군악의 목덜미에서 검은 피가 천천히 흘러나오기 시작했다.

장예추는 정신을 집중했다.

촌적에서 발사된 독화살은 그 크기가 아주 조그마할 것이다. 행여 독화살이 검은 핏속에 섞여서 함께 빠져나왔는데도 그것도 모르고 계속해서 피를 뽑아내면 정말 큰일이 일어날 수도 있었다.

'됐다.'

장예추는 손바닥에 와 닿는 특이한 감촉을 느끼고는 얼

른 손을 뗐다. 그의 손바닥에는 검은 핏물 속에 잠겨 있는 독화살이 있었다.

장예추는 독화살을 버린 다음, 비상약이 들어 있는 전대를 뒤져 고약(膏藥)을 꺼냈다. 그 고약 역시 당혜혜가 준비해 준, 사천당문의 십대비약(十大秘藥) 중 하나였다.

장예추는 고약을 상처 부위에 발라 두었다. 흡독고(吸毒天膏)라는 이름의 이 고약은 화군악의 몸속에 남아 있던 독기를 모두 빨아들일 것이다.

그렇게 응급조치를 끝낸 장예추는 다시 화군악의 맥문을 짚었다.

살아 있었다.

미미하지만 맥은 죽지 않았다. 해독약이 어느 정도까지 효과를 발휘할지 모르겠지만 지금은 이대로 화군악의 회복을 기다릴 수밖에 없었다. 이제 장예추가 할 수 있는 건 더 이상 없었으니까.

'다른 곳으로 이동하자.'

장예추는 주위를 둘러보며 기척을 살폈다. 느껴지는 기척은 전혀 없었다. 아마도 왕윤 단독 행동이었던 모양이다. 그러나 언제 후속 부대, 후원군이 들이닥칠지 몰랐다.

'이미 강 형님들과 합류는 늦었다.'

장예추는 화군악을 안아 들며 생각했다.

위지휘사사의 행렬은 꽤 오래전에 남천로를 지나쳐 통

과했을 것이다. 그리고 잠시 물러났던 포위망은 더욱 급격하게 좁혀들 게 분명했다.

어디로 숨어야 하는가.

'등하불명(燈下不明)이라고 했던가.'

장예추는 화군악을 안은 채 서둘러 지하 석실을 빠져나왔다. 그는 객청을 벗어나자마자 단숨에 미로와도 같은 골목길로 자취를 감췄다.

반각 후, 한 무리의 무사들이 골목길로 들어서며 황계의 안가를 에워싸기 시작했다.

장예추가 달려간 곳은 벽에 커다란 구멍이 숭숭 뚫리고 반쯤 무너진 객잔이었다.

대복객잔. 바로 황계의 악양지부이자 며칠 전 담우천들과 무정검왕들이 한바탕 싸움을 벌였던 그 장소였다.

등하불명이라고 했다. 원래 등잔 밑이 어두운 법이었다. 한 번 관심에서 사라진 대복객잔을 새삼스레 눈여겨보는 자는 아무도 없었다. 장예추는 그런 마음의 사각(死角)을 이용하여 대복객잔으로 몸을 숨겼다.

대복객잔에도 몸을 숨기고 피할 수 있는 비밀스러운 공간이 있었다. 한때 점소이들이 숨어 있던 바로 그 공간이었다. 장예추는 그곳에 화군악을 눕혔다.

화군악은 죽은 듯 미동도 하지 않았다. 장예추는 다시

그의 맥을 짚어 보았다. 미미하게, 천천히, 곧 꺼질 듯이 맥박이 뛰고 있었다.

장예추는 입술을 깨물었다.

제법 시간이 흘렀음에도 불구하고 중독 증상이 사라지지 않고 있었다. 피부는 점점 더 검게 변했고, 상처 부위는 고름과 함께 썩어 들어가고 있었다.

그나마 다행인 건 그 중독의 진행 속도가 조금씩 느려지고 있다는 점이었다. 그래도 사천당문의 십대비약들이 도움이 된 모양이었다.

장예추는 화군악의 명문혈에 손바닥을 대고 내공을 흘려보냈다. 화군악이 독과 맞서 싸울 수 있는 기력을 불어넣어 주고자 함이었다.

하지만 별다른 소득은 없었다. 시간은 계속 흘러 밤이 되었지만, 화군악은 여전히 정신을 차리지 못했다. 아니, 아직 죽지 않은 걸 천만다행이라고 생각해야 하겠지.

'젠장, 이제 어떡하지?'

장예추는 잠시 휴식을 취하고 생각을 정리하기 위해 밖으로 나왔다.

객잔은 폐가처럼 조용하고 음산했다. 쥐들도 떠난 듯 주변의 기척은 전혀 느낄 수가 없었다. 금해가나 태극천맹 무사들의 기척 또한 찾아볼 수가 없었다. 어쩌면 남천로의 포위망을 푼 것인지도 모른다.

'아마도 두 패로 갈라져서 한 무리는 나와 군악의 뒤를 쫓고, 다른 한 무리는 위지휘사사의 뒤를 쫓을 것이다. 위지휘사사의 행렬이 수상하다고 여길 정도의 머리는 있을 테니까.'

장예추는 곰곰이 생각했다.

'우선적으로 할 일부터 정리해 보자. 지금 내가 해야 할 일 중 하나는 강 형님들과 합류하는 것, 그리고 하나는 군악을 살리는 것. 무엇이 급하냐 하면 역시 군악을 살리는 일이다.'

그러나 그가 할 수 있는 건 이미 다한 상황이었다.

화군악을 주변 의생에게 데리고 가는 건? 그건 아니다.

의생의 실력이 사천당문의 독을 다루는 솜씨보다 뛰어나느냐 하는 건 차치하더라도 무엇보다 화군악을 밖으로 내돌릴 수는 없었다. 아직 악양 전역에는 금해가와 태극천맹의 감시망이 남아 있을 테니까.

그렇다면……

끊임없이 머리를 굴리고 궁리를 짜내던 장예추의 뇌리에 문득 한 가지 생각이 떠올랐다.

'그래, 피독주!'

피독주는 독을 막아 주는 효과만 있는 게 아니었다. 입에 물고 호흡하면 몸속에 있는 독이 체외로 빠져나가는 효과까지 있었다.

'가서 조 영감에게 돌려 달라고 해야겠다.'

그렇게 생각한 장예추는 곧장 수정루를 찾아가려고 했다. 하지만 다음 순간 그는 걸음을 멈추고 마음을 바꿨다.

'아니다. 지금 조 영감 주변은 수많은 이들이 몰려들어서 그의 일거수일투족을 감시하고 있을 거다. 또한 조 영감도 적잖은 돈을 들여서 호위무사들을 고용했을 터, 자칫 조 영감을 만나 보지도 못한 채 나만 금해가나 태극천맹 무사들에게 쫓길 수도 있다.'

차라리 내일 있다는 경매 현장을 직접 방문하는 게 나을지도 몰랐다. 그곳에는 수천 명의 사람들이 몰릴 터, 아무리 금해가와 태극천맹의 감시망이 뛰어나다지만 그렇게 한꺼번에 사람들이 몰리면 그들도 어쩔 수 없을 것이다.

비록 시간이 촉박하고 마음은 다급하고 초조했지만 그래도 장예추는 하루를 기다리기로 했다.

급할수록 돌아가라고 했다. 완치는 아니지만 그래도 당문의 비약들로 인해 화군악의 상세는 더 나빠지지 않고 있었으니, 거기에 피독주까지 있다면 당혜혜를 찾아갈 때까지 시간을 벌 수 있을 것이다.

장예추는 그렇게 결정했다.

다음 날.

장예추는 화군악을 대복객잔 비밀 공간에 놔둔 채로 길

을 나섰다.

그의 예상대로 악양루로 향하는 길은 수많은 사람들로 가득 차 인산인해를 이루고 있었다. 도저히 금해가나 태극천맹의 무사들이 일일이 검문이나 검색을 할 상황이 아니었던 것이다.

그렇게 무사히 성문을 빠져나가 악양루 기슭에 당도한 장예추는 서둘러 수상대로 향했다. 방명록을 작성하던 중년인이 그에게 물었다.

"초청장이 있으십니까?"

장예추는 짧게 말했다.

"조 영감에게 가서 모(毛) 씨가 찾아왔다고 전하시오."

중년인은 의아한 표정을 지으며 장예추를 쳐다보다가 근처에 있는 어린 시녀를 불러 지시를 내렸다.

쪼르르 수상길을 따라 거대한 화선으로 달려갔던 어린 시녀는 잠시 후, 역시 쪼르르 달려와 중년인에게 말했다.

"조 노공(老公)께서 귀빈을 안으로 모시라고 하십니다."

중년인은 다시 한번 의아한 눈길로 장예추를 쳐다보고는 고개를 끄덕이며 말했다.

"저 아이를 따라 들어가시지요."

장예추는 초조한 기색을 감춘 채 어린 시녀를 따라 화선으로 들어섰다. 시녀가 단상 앞쪽 자리로 안내하자 장예추는 고개를 저으며 말했다.

"맨 뒷자리가 좋네."

어린 시녀 또한 이상하다는 눈빛으로 장예추를 쳐다보고는 다시 선미 우측 구석진 자리로 안내했다.

장예추는 그곳에 앉아서 옷깃으로 얼굴을 가린 채 고개를 푹 숙였다. 행여 자신을 알아볼 사람이 있을까 경계하는 것이다.

경매에 참가하는 자들이 계속해서 선상 위로 입장했다. 그중에는 강만리 일행도 있고, 대륙전장의 장주도 있었다.

하지만 장예추와 강만리 일행은 서로를 보지 못한 채 그저 경매가 시작하기만을 기다렸다.

강만리 일행이 장예추를 알아본 건, 피독주를 차지한 그가 자리에서 일어나 시녀들을 따라 단상 뒤쪽으로 걸어갈 때였다.

"어라?"

장예추와 화군악이 이곳으로 올 거라고 확신했던 강만리는 고개를 갸웃거렸다.

"군악은 어디 가고 왜 예추 혼자? 그리고 피독주는 왜?"

불길한 예감이 그의 등골을 스치고 지나가는 순간이었다.

6장.
난장판이 된 화선

"장예추!"
뾰족한 목소리가 장예추의 귓전으로 파고들었다.
무슨 연유에서였을까.
그 목소리를 듣는 순간 장예추는 저도 모르게 가슴이 답답해지면서
동시에 움직일 수가 없었다.

1. 홍진보(洪眞甫)

홍진보(洪眞甫)는 자신의 이름보다는 금적산(金積山)이라는 별명을 더 좋아했다.

금을 산처럼 쌓아 둔 자.

또 사실이 그러했다.

대륙전장은 무수히 많은 전장 중에서도 제일 크고 신뢰도가 높은 전장이었으며, 대륙에서 통용되고 있는 어음과 전표 중 절반 가까운 분량을 주관하는 전장이었다.

대륙전장이 무너지면 대륙의 모든 경제가 삽시간에 멈춘다는 말은 사실이었다.

그러니 대륙전장에서 발행하는 어음과 전표는 곧 현금

과 같았다.

하지만 사람들이 대륙전장을 찾아가서 그 어음과 전표를 현금으로 바꾸기 위해서는 그 금액의 백분지 일에 해당하는 금액을 수수료로 떼어야만 했다.

반대로 현금을 가지고 가서 어음과 전표로 바꾸는 데에도 그와 비슷한 수수료를 내야 했다.

그렇게 일정 금액의 수수료를 내면서도 사람들이 굳이 어음과 전표를 사용하는 이유는 간단했다. 그만큼 편하고 간단하기 때문이었다.

은자 백 냥은 한 주머니에 가득 찬다. 소매에는 은자 백 냥짜리 은원보 서너 개밖에 들어가지 않는다.

그러나 전표라면 얼마든지 소지할 수가 있었다. 은자천 냥은 물론, 은자 백만 냥도 얼마든지 품에 넣고 돌아다닐 수가 있었다.

그래서 거액을 다루는 장사꾼들은 어음과 전표를 애용했고, 세월이 흐르면서 소규모의 장사꾼들이나 일반 백성들까지 평범하게 어음과 전표를 주고받게 되었다.

대륙전장의 수익 구조는 여러 갈래로 나뉘는데 어쨌든 가장 큰 수익은 그 수수료에서 발생했다.

조직원들의 임금 등등을 비롯한 모든 비용을 제하더라도 한 달에 최소 은자 천만 냥에 해당하는 엄청난 순이익이 발생했다. 그리고 그 순이익이 곧 홍진보를 비롯한 대륙전장의 수뇌부와 투자자들의 몫이었다.

그렇게 돈을 벌어들이는 홍진보지만 한 푼도 허투루 사용하지는 않았다.

개처럼 벌어서 정승처럼 쓰다 보면 어느새 알거지가 되는 게 세상일이었다. 악착같이 벌면 또 악착같이 모아야 했다. 모은 걸 제대로 투자하고 착실하게 재산을 불려 나가야 했다.

도박에 가까운 매매는 장사꾼이나 하는 일이었다. 홍진보는 어디까지나 일 할, 일 푼, 일 리를 따지는 전장 사람이었다.

그렇게 구두쇠인 홍진보가 굳이 피한주와 피서주를 구매하러 이곳까지 온 까닭은 그가 가장 아끼고 사랑하는 애첩(愛妾) 때문이었다.

홍진보는 평소에도 땀이 많았지만 여름에는 지독할 정도로 땀을 흘렸다. 홍진보가 정사를 나눌 때면 그야말로 땀이 홍수처럼 흘렀고, 그게 여름이라면 침상 전체가 그의 땀으로 물바다가 되었다.

비록 말은 하지 않았지만 아마도 그의 애첩은 지옥이었을 것이다. 매번 그녀는 홍진보가 흘린 땀에 의해 흠뻑 젖어야 했다. 어떤 때는 그의 땀이 코와 입으로 흘러 들어가 제대로 숨조차 쉬지 못했다.

피서주는 피부 주변의 공기를 차갑게 식혀 주는 효능이

있었다. 당연히 땀도 적게 흘릴 것이고, 피서주와 함께라면 더 이상 그의 애첩이 곤욕을 겪지 않을 수 있었다. 바로 그게 홍진보가 피서주를 사게 된 이유였다.

피한주를 산 것 역시 그의 애첩 때문이었다. 물론 홍진보가 특이하게도 더위에 약하고 추위에도 민감한 체질인 것도 있지만, 무엇보다 그의 애첩이 너무나도 추위를 잘 탔기 때문이었다.

초가을 싸늘해진 날씨면 그녀는 전라(全裸)가 되지 못했다. 정사를 치르기 위해서 옷을 벗기면 그녀는 이내 콧물을 훌쩍거렸다. 한겨울에는 아예 두툼한 솜옷을 입은 채 정사를 치러야 했다.

애첩의 보들보들한 살을 쓰다듬고 어루만지다가 꼬집거나 찰싹 때리기도 하는 재미에 흠뻑 빠진 홍진보였기에, 옷을 입은 채 치르는 정사는 썩 유쾌하거나 흥이 나는 정사가 아니었다. 그래서 피한주를 사기로 결심한 것이었다.

그렇게 목표했던 피한주와 피서주를 모두 사들였다. 그것도 강남의 내로라하는 거부와 거상, 호족과 유명 세가 사람들 앞에서 압도적인 위엄을 보이며 사들였으니 매우 흥겨워야 하는 게 맞았다.

하지만 홍진보는 흥겹지 않았다. 외려 살짝 기분이 나빠졌고 자존심마저 상했다.

그래서였다. 홍진보가 지금 막 단상 뒤에 마련된 막사로 들어서는 청년을 노려본 까닭은.

　청년은 무표정한 얼굴로, 홍진보가 앉아 있던 탁자 맞은편 자리로 걸어와 아무런 인사도 하지 않은 채 털썩 자리에 주저앉았다.

　홍진보는 더욱 기분이 나빠졌다.

　하지만 어쩌면 저 청년이 아직 경험이 부족하고 연륜이 짧아서, 자신의 존성대명은 물론 누구인지도 모를 수 있다고 생각한 홍진보는 천천히 입을 열었다.

　"만나서 반갑네. 나는 대륙전장의 금적산이라고 하네."

　홍진보는 일부러 중후하고 묵직하게 목소리를 깔며 말했다. 청년은 힐끗 홍진보를 바라보더니 무뚝뚝한 목소리로 대꾸했다.

　"장예추라고 합니다."

　홍진보는 더욱 기분이 나빠졌다.

　하지만 그는 새파랗게 어린 청년에게 화를 내는 건 체면 문제라고 생각한 듯 침착하게 미소를 지으며 말했다.

　"잘 못 들었나 보군그래. 나는 대륙전장의 주인인 금적산이라고 하네."

　"아, 예."

　홍진보는 입술을 깨물며 억지로 화를 가라앉혔다.

　"혹시 대륙전장이 뭘 하는 곳인지 모르는 건 아니겠지?"

"아뇨. 알고 있습니다."

"그런데 나를 보고도 전혀 놀라지 않는 겐가? 엉엉 울지는 않더라도 깜짝 놀라거나 존경해한다거나 뭐 그런 행동을 보여야 하는 게 정상이지 않을까?"

"그래야 합니까? 아무 면식도 없는 사이인데요?"

"아니, 그게 또 무슨 면식이 있어야만 그러는 게 아니지 않는가? 그러니까 으음…… 가령 자네가 평소 흠모하고 존경하는 사람을 우연히 만나게 되면……."

홍진보가 어떡하든 장예추를 설득하려 할 때였다. 막사의 문이 열리고 조태수가 비단 보자기에 싸인 쟁반을 들고 들어왔다.

"오래 기다리셨…… 음? 제가 무슨 잘못이라도? 왜 저를 그리 노려보시는지요?"

조태수는 자신을 잡아먹을 듯이 노려보는 홍진보를 보고 깜짝 놀라며 걸음을 멈췄다. 홍진보는 가만히 그를 노려보다가 이내 한숨을 길게 내쉬며 고개를 저었다.

"아니네. 됐네. 어서 보주들이나 주게."

"여기 있습니다."

조태수는 탁자 위에 쟁반을 내려놓은 다음 비단 보자기를 들어 올렸다. 영롱한 빛의 보주 네 알이 쟁반 위에 놓여 있었다.

조태수는 금합을 따로 꺼내 세 알의 보주를 담은 다음

조심스레 홍진보에게 건넸다.

홍진보는 먼저 피서주를 집어 들었다. 흠뻑 젖어 있던 옷이 금세 마르는 듯한 쾌적한 기분이 들었다.

절로 입가에 미소가 맴돌았다. 그건 조금 전까지 자신을 기분 나쁘게 하던 장예추라는 청년의 무례함이 기억나지 않을 정도의 쾌적함이었다.

"진품이로군."

그의 말에 조태수가 힐끗 장예추를 바라보며 말했다.

"제가 주관하는 경매는 강서낭추라는 별명이 보증합니다."

"뭐, 그건 됐고."

홍진보는 손을 들어 손가락을 튕겼다. 일순 그의 뒤에 서 있던 거대한 체구의 하인 중 한 명이 앞으로 걸어 나와 전표를 건넸다.

홍진보는 그중 여섯 장의 전표를 아무렇게나 찢어서 탁자 위에 던지며 말했다.

"육백만 냥일세."

조태수는 액수를 헤아려 보지도 않은 채 전표들을 주워 품에 넣으며 말했다.

"그럼 조심히 가시지요. 장주께서 납셨다는 소식을 들은 이들 중 나쁜 마음을 품는 자들이 없지 않을 테니까요."

"걱정하지 말게. 금강나한(金剛羅漢) 네 명만 온 것도 아니고, 또 이들 네 명이면 누구든 당해 내지 못할 테니까."

"그런가요?"

조태수는 의미 모를 표정을 지으며 홍진보의 등 뒤에 서 있는 장한들을 둘러보았다.

홍진보는 자리에서 일어나려다가 문득 눈살을 찌푸리며 다시 자리에 앉았다. 그러고는 오만하게 턱을 들고는 장예추를 바라보며 조태수에게 말했다.

"한 가지 궁금한 게 있네."

조태수가 허리를 숙이며 말했다.

"말씀하시지요, 장주."

"이번 경매는 반드시 현금, 어음, 전표만으로 대금을 치르게 되어 있지?"

"물론입니다."

"나는 저 어린 청년이 은자 사백만 냥이라는 어마어마한 돈을 가지고 있을 거라고 생각하지 않네."

"그 말씀은?"

"내 앞에서 직접 자네와 저 어린 청년이 거래를 마치는 모습을 지켜보고 싶다는 것일세."

조태수는 난감한 표정을 지었다.

"원래는 장주께서 관여하실 일이 아닙니다만 이렇게

장주와 인연을 맺게 되었으니 받아들이겠습니다."

조태수는 정중하게 말한 후 장예추를 돌아보며 물었다.

"다른 분은?"

장예추는 무뚝뚝하게 대꾸했다.

"손 씨는 일이 있어서 오지 못했습니다."

"또 다른 분은?"

"유 노대도 일이 있어서 오지 못했습니다."

"그렇군요. 좋소이다. 신분을 확인했으니 이제 계산을 치르기로 하죠."

조태수는 품에서 다시 전표를 꺼내며 말을 이었다.

"피서주와 피한주 세 알이 모두 육백만 냥, 그리고 피독주가 사백만 냥, 도합 은자 천만 냥에 낙찰되었소이다."

가만히 듣고 있던 홍진보의 눈이 커지고 표정이 변했다. 지금 조태수가 장예추에게 무슨 이야기를 하고 있는 건지 종잡을 수가 없었던 것이다.

조태수의 말은 계속 이어지고 있었다.

"천만 냥 중에 이 할이 제 몫이니 전표 두 장은 빼고 나머지 금액과 피독주를 돌려 드리겠소이다."

조태수는 금합을 꺼내 피독주를 담아서 전표 네 장과 함께 장예추에게 건넸다.

"고맙습니다."

장예추는 당연하다는 듯이 전표와 금합을 받아 챙기고는 자리에서 일어나려 했다.

"자, 잠깐만."

홍진보가 다급하게 입을 열었다.

"이게 무슨 일인가? 왜 보주 대금을 저 청년에게 건네는 게지?"

조태수는 어디까지나 정중하게 대답했다.

"원래 보주들이 저 청년의 것이었으니까요. 소인은 그저 저 청년을 대신하여 물건을 팔아 주고 이문을 챙긴 것뿐입니다."

"응? 진짜?"

"강서낭추라는 이름은 거짓말을 하지……."

"됐네. 그건 됐고…… 그런데 왜 피독주 주인이 다시 피독주를 산 거지? 그것도 사백만 냥이라는 거액을 주면서?"

홍진보가 도저히 이해가 가지 않는다는 표정을 지으며 물을 때였다.

2. 조우(遭遇)

"적이다!"

"기습이다! 막아라!"

화선 주위를 맴돌며 경계하던 용선들에서 급박한 목소리가 터져 나왔다. 조태수가 돈을 주고 고용한 호위 무사들의 목소리였다.

조태수는 깜짝 놀라며 황급히 품 깊이 전표를 감췄다. 그리고는 홍진보와 장예추를 둘러보며 다급한 어조로 말했다.

"화선에 모인 분들을 노리고 도적들이 출몰한 모양입니다. 어서 이곳을 빠져나가시지요."

조태수가 그렇게 말하는 동안에도 "물렀거나!", "어딜 감히!", "아악!" 하는 고함과 비명이 연달아 들려왔다.

조태수의 안색이 창백해졌다. 고함을 치는 자들이나 비명을 내지르는 이들 모두 조태수가 고용한 무사들이었기 때문이었다.

"그럼 이만."

장예추는 벌떡 자리에서 일어났다. 그는 뒤도 돌아보지 않고 막사를 빠져나가려 했다.

바로 그때였다.

찌익!

막사 휘장을 찢으며 날카로운 검날이 장예추의 가슴을 노리고 기습적으로 파고들었다.

장예추는 예측이라도 한 듯 어깨를 틀며 그대로 앞으로 걸어 나갔다. 장예추를 노린 검이 뒤늦게 방향을 바꿔 그의 목을 찌르려 했지만 이미 장예추는 막사를 빠져나간 뒤였다.

막사 밖으로 나선 장예추는 검을 뿌린 자를 힐끗 바라 보았다.

여인이었다. 날카롭고 매서운 눈빛으로 자신을 쏘아보 는 생면부지(生面不知)의 여인.

장예추는 묻지도 따지지도 않고 손을 뻗어 그녀의 어깨 를 가격했다.

여인은 빠르게 보법을 밟으며 피했다. 다음 순간, 그녀 의 얼굴이 새파랗게 질렸다. 보법을 밟으려는 찰나 이미 장예추의 손이 자신의 어깨를 강타하고 있었다.

퍽! 하는 소리와 함께 그녀의 어깨가 박살 났다. 여인 은 비명을 참으며 검을 휘둘렀다.

장예추는 피하지 않았다. 외려 한 걸음 더 여인의 품 안으로 들어서며 재차 주먹을 뻗어 그녀의 복부를 강타 했다.

"컥!"

참고 있던 비명이 신음으로 터져 나왔다. 순간적인 격 통에 그녀의 몸이 새우처럼 굽어지는 순간, 장예추는 무 자비하게 그녀의 뒷덜미를 내리쳤다.

그때였다.

"장예추!"

뾰족한 목소리가 장예추의 귓전으로 파고들었다.

무슨 연유에서였을까.

그 목소리를 듣는 순간 장예추는 저도 모르게 가슴이 답답해지면서 동시에 움직일 수가 없었다.

장예추는 여인이 데구루루 구르며 자신의 공격권에서 벗어나는 걸 물끄러미 지켜보다가 천천히 고개를 돌렸다.

화선의 갑판은 난장판이었다. 무슨 영문인지는 모르겠으나 수백 명의 사람들이 서로 뒤엉켜 싸우고 있었다. 무공이 없거나 약한 상인, 기녀들은 잔뜩 겁에 질린 채 후미에 모여서 바들바들 떨고 있었다.

그런 가운데, 한 줄기 수선화처럼 가녀린 분위기를 지닌 여인이 장예추를 쏘아보고 있었다.

그녀와 시선이 마주친 순간, 장예추는 하마터면 중심을 잃고 비틀거릴 뻔했다.

'소유…….'

내심 중얼거리는 장예추의 눈동자는 평정을 잃은 듯 심하게 떨려 왔다.

믿을 수 없었다. 왜 그녀가 지금 이 자리에 있는 걸까. 어떻게 자신이 이곳에 있는지 알고 나타난 걸까.

두 번 다시 만나고 싶지 않은 사람. 한 번만이라도 다시 보고 싶었던 얼굴. 꿈에서도 잊지 못했던 눈빛.

그 짧은 순간, 천소유와 함께 보냈던 지난날의 순간순간들이 주마등처럼 그의 머리를 훑고 지났다.

그렇게 장예추가 제정신을 놓고 있을 때, 그에게 일격을 얻어맞고 데굴데굴 굴렀던 여인이 슬그머니 일어나 검을 뽑었다.

소리도 기척도 심지어 살기도 없는 강력한 일검이 장예추의 복부에 꽂히려는 찰나, 퍽! 하는 소리와 함께 여인의 고개가 뒤로 확 젖혀졌다.

그녀의 뻥 뚫린 이마에서 한 줄기 핏물이 허공으로 솟구치는 가운데, 그녀는 검을 떨구며 그대로 나동그라졌다.

"양 단주!"

"예추!"

한 가닥 비명 같은 소리가 천소유의 입에서 쏟아졌다. 동시에 터져 나온 굵직한 목소리가 장예추의 정신을 번쩍 일깨웠다.

그는 퍼뜩 정신을 차리고 황급히 주위를 둘러보았다. 사방에서 들려오는 병장기가 부딪치는 소리와 고함과 함성으로 귀가 먹먹한 가운데, 또다시 예의 그 목소리가 들려왔다.

"여기다, 예추!"

장예추의 시선이 소리가 들리는 쪽으로 향했다.

정체불명의 흑의인과 한바탕 싸우고 있는 강만리가 그를 향해 손을 흔들고 있었다.

'응? 강 형님이 어떻게?'

장예추는 강만리 주변을 빠르게 훑었다.

그곳에는 강만리만 있는 게 아니었다. 담우천과 유 노대, 만해거사를 비롯한 화평장의 식구들이 수십 명의 흑의인들을 두고 치열하게 싸움을 벌이고 있었다.

장예추는 그곳으로 달려가려다가 힐끗 천소유를 돌아보았다. 천소유의 시선은 장예추가 아닌, 바닥에 쓰러져 있는 여인에게 꽂혀 있었다.

장예추는 입술을 깨물고는 그대로 갑판을 박차고 사람들 머리를 단숨에 뛰어넘었다.

피아를 가리지 않고 싸우던 자들은 누군가 제 머리 위로 날아들자 반사적으로 검을 지르고 칼을 휘두르고 손을 뻗어 장력을 날렸다.

그러나 장예추는 이미 그들을 뛰어넘어 강만리가 싸우는 곳으로 날아간 후였다.

누구인지는 모르지만 장예추는 자신의 앞을 가로막는 자를 일격에 쓰러뜨린 후 강만리에게 다가서며 물었다.

"어떻게 이곳에 계시는 겁니까?"

마침 주먹을 휘둘러 한 명의 흑의인을 즉사시킨 강만리는 당연하다는 듯이 말했다.

"네가 이곳에 올 줄 알았으니까."

"어떻게요?"

"아, 이야기하면 길다. 나중에 이야기하자. 참, 군악 은?"

강만리의 물음에 장예추의 낯이 딱딱하게 굳어졌다.

"중독당했습니다."

"중독? 누구에게?"

"탈명배수 왕윤이라고, 과거에 유명했던 살수입니다."

"살수라면 누가 현상금이라도 내건 건가?"

"그건 아닌 것 같습니다. 이미 은퇴한 지 오래이니, 어 쩌면 금해가의 숙객으로 있었을 가능성이 더 큽니다."

강만리는 장예추의 등을 노리고 칼을 휘두르는 자를 향 해 지풍을 날리며 물었다.

"숙객이라, 그렇군. 군악의 상세는?"

"컥!" 하는 소리와 함께 칼을 휘두르던 자는 조금 전의 여인처럼 이마에 구멍이 뚫린 채 나자빠졌다.

"상세가 심합니다."

"그렇겠지. 네가 그렇게까지 피독주를 사려고 한 걸 보 면."

강만리는 힐끗 주위를 둘러보며 빠르게 말했다.

"그럼 얼른 이곳을 빠져나가자. 군악은 대복객잔에 있 나?"

"아, 네. 그건 또 어떻게……."

"등하불명이니까."

강만리는 다시 주먹을 덤벼드는 흑의인의 턱을 박살 내며 말했다. 장예추도 주위를 돌아보며 빠르게 물었다.

"그나저나 이게 무슨 일입니까?"

"저 계집."

강만리는 턱으로 한 여인을 가리키며 말했다.

"저 계집의 부하들이다. 느닷없이 나타나서 화선을 호위하는 무사들을 해치우고 배 안으로 뛰어 들어왔지. 그바람에 놀란 참가자들이 무기를 들었고, 누가 적이고 동료인지 모른 채 한데 뒤엉켜 싸우는 중이다."

"아……."

장예추는 할 말이 없었다.

'나를 죽이려는 거였구나.'

막사 밖에서 암습한 여인도, 저 수십 명의 흑의인들도 모두 천소유의 수하였고, 그녀의 명령에 따라 장예추를 죽이고자 나선 것이었다.

"왜? 아는 사이냐?"

강만리는 생긴 것과 달리 빠른 눈치로 장예추의 표정만 보고서 그렇게 짐작하여 물었다.

장예추가 입을 다물자 강만리는 어깨를 으쓱거리고는 다른 이들을 향해 말했다.

"예추가 왔습니다. 모두 자리를 뜹시다."

담우천과 유 노대들은 크게 살수를 휘둘러 한 차례 흑의인들을 뒤로 물러나게 한 후 한자리에 모였다. 반갑다는 인사를 나눌 새도 없었다. 그들은 곧장 화선의 난간으로 달려갔다.

이미 날은 어두웠고 동정호 수면은 지옥으로 들어가는 입구처럼 컴컴했다.

흑의인들의 짓이었을까. 수상길은 중간에서 끊어졌고, 용선들은 주인은 잃은 채 물길에 따라 제멋대로 떠다녔다.

"용선에 오르자."

강만리가 그렇게 말하며 갑판에서 뛰어내리려 할 때였다.

펑! 펑! 펑!

요란한 소리와 함께 동정호 일대에서 수십 개의 폭죽이 피어올랐다. 어두컴컴한 밤하늘을 가르며 솟구친 폭죽은 이내 동정호 일대를 환하게 밝혔다.

순간 강만리의 움직임이 굳어졌다. 화선 주변으로 수십 척의 쾌속선들이 몰려들고 있었다. 환하게 밝혀진 시야를 통해 금해가와 태극천맹의 무사들이 그 쾌속선들에 타고 있는 게 보였다.

"젠장!"

강만리가 짜증을 내며 발을 굴렀다.

"어떻게 알았지?"

가볍게 내지른 발 구름에 나무판자로 만들어진 갑판은 크게 구멍이 뚫렸다. 그 바람에 하마터면 강만리는 그 속에 빠질 뻔했다.

순간적으로 강만리의 눈빛이 반짝였다.

"다들 밑으로 내려가자."

쾅!

강만리가 재차 발을 구르자 구멍이 더욱 크게 뚫렸다. 강만리는 사람들을 이끌고 그 구멍 아래로 내려갔다.

거대한 화선의 갑판 아래층에는 수십 척의 화선들이 종과 횡으로 얽혀 있었다.

행여라도 풀리지 말라고 장정 손목만큼 굵은 밧줄로 꽁꽁 매뒀지만, 강만리 일행 앞에서는 아무런 소용이 없었다. 그들은 썩은 동아줄처럼 간단하게 밧줄을 끊고는 화선 한 척에 올라탔다.

작은 화선이라고는 하지만 십여 명은 족히 탈 수 있는 크기였다. 강만리는 그 화선을 타고 아무도 모르게 악양루 맞은편 기슭으로 도주하려는 속셈이었다.

"이 거대한 화선이 벽이 되어 시야를 막아 줄 게다."

사람들은 강만리의 빠른 결단력에 감탄하며 화선에 올랐다. 강만리는 천천히 노를 저어 거대한 화선에서 떨어져 나갔다.

강만리의 말대로 확실히 거대한 화선은 하나의 커다란 벽이 되어서, 수십 척 쾌속선의 시야를 막아 주고 있었다. 이런 상황이라면 저 금해가와 태극천맹 무사들 모르게 동정호를 빠져나갈 수 있을 것이다.

하지만 그때였다.

"저기예요!"

가녀린 여인의 목소리가 강만리 일행의 머리 위에서 표독하게 들려왔다.

강만리는 눈살을 찌푸리며 고개를 쳐들었다. 거대한 화선의 난간, 한 여인이 매달리듯 상반신을 내민 채 강만리가 타고 있는 화선을 가리키며 연신 소리치고 있었다.

"비선의 수하들은 모두 저 배를 공격하세요!"

3. 무슨 원수를 졌다고

사실 전혀 생각하지 않은 건 아니었다. 생각을 했기에, 그럴 가능성이 있다고 여겼기에 굳이 그녀 본인이 이곳 악양부까지 몸소 나섰던 것이니까.

이른바 무림오적이라 부르는 다섯 명, 혹은 그 다섯 명을 주축으로 하는 비밀 조직은 지난 수년간 오대가문을 상대로 싸우고 있는 중이었다.

아직 널리 퍼지지는 않았지만, 수년 전 무적가의 가주와 소가주가 살해당한 것과 이후 무적가가 거의 붕괴되다시피할 정도의 타격을 입은 건 확실히 무림오적의 짓이었다.

또한 몇 달 전 철목가의 가주 정극신이 수백 명의 수하들을 이끌고 사천 성도부를 찾았다가 의문의 철수를 한 것 역시 그녀는 무림오적의 소행이라고 생각하고 있었다.

겉으로 드러난 무림오적의 만행은 그게 전부였다.

그러나 그녀는 겉으로 드러나지 않았던, 오대가문의 다른 가문들이 당했던 치욕스러운 일들 역시 무림오적의 소행일 가능성이 높다고 여겼다.

사실 천왕가가 잃어버린 신물(信物)을 회수하는 과정에서 발생했던 소란까지는 아무래도 무림오적과는 관련이 없을 듯했다.

그 소란의 주동자라고 할 수 있는 강만리는 그저 평범한 전직 포두에 불과했으며, 천왕가의 소란과 상관없이 황궁 연쇄살인사건을 해결하는 일에 더 매달렸으니까.

하지만 천왕가의 소가주, 천휘수가 살해당한 건 확실히 저 무림오적과 연관이 있을 법했다.

아무리 장예추라는 자가 떠오르는 신진 고수라고는 하지만, 누군가의 도움 없이는 결코 구중심처(九重深處)와

같은 천왕가에 잠입해서 천휘수를 암살하고 무사히 빠져
나갈 수는 없을 테니까.

오라버니에 대한 복수를 맹세한 후 장예추의 행적을 뒤
쫓기 시작하면서 그녀, 천소유는 무림오적이라는 조직에
대해서 인식할 수 있었다.

그리고 그들의 주 행동지가 사천 성도부라는 사실을 알
게 되었고, 그제야 비로소 무림포두 강만리라는 자와의
연관성을 눈치챘다.

천소유는 곧 태극감찰밀의 손을 빌려 강만리에 대해서
조사하기 시작했다.

하지만 태극감찰밀에서 올라오는 보고서에는 별다른
이야기가 없었다. 은퇴한 후 아내와 함께 장원에서 소일
하는 평범한 중년 사내. 그게 태극감찰밀의 보고였다.

천소유는 믿지 않았다.

무슨 이유인지는 모르겠지만 태극감찰밀이 강만리라는
자를 비호하는 것 같다는 생각이 들었다.

그녀는 곧 성도부에 있는 비선의 세작들을 동원하여 강
만리에 대해서 집중적인 조사를 시작했다. 그러나 세작
들이 올린 보고마저 태극감찰밀의 그것과 전혀 다른 게
없었다.

'내가 착각한 것일까?'

천소유는 결국 그렇게 결론을 내리고 강만리에 대한 조

사를 접었다.

이후 무림오적과 장예추에 대한 조사는 지지부진해졌
다. 물론 장예추의 행적을 쫓을 방법이 없는 건 아니었
다. 천소유는 장예추가 사천당문의 당혜혜와 혼인하는
자리에 참석했었고, 그래서 장예추가 사천당문의 데릴사
위라는 걸 익히 알고 있었다.

그러니 사천당문의 문주나 고위 인사를 잡아다가 심문
하거나 고문하여 장예추의 행방을 수소문하는 것도 하나
의 방법이라 할 수 있었다.

하지만 천하의 어느 누가 감히 사천당문에게 그런 짓을
할 수 있을까.

설령 태극천맹이라 하더라도 오대가문이라 하더라도
결코 사천당문과는 척을 질 생각을 하지 않았다. 아예 한
밤중의 기습을 통해서 몰살시키는 것 이외에는 천하의
그 누구도 감히 사천당문과 싸워 승리를 장담할 수 없었
으니까.

보름여 전 발생했던 악양부의 사건은 그녀에게 새로운
출구가 될 수 있었다.

놀랍게도 정체불명의 다섯 괴한이 금해가와 태극천맹
과 맞서 싸워 승리를 거두고 도주한 것이다. 그것도 무정
검왕이라는 전설적인 고수까지 중상을 입힌 채로.

천소유는 그들 다섯 괴한이야말로 무림오적이라고, 무

림오적의 일원이라고 확신했다. 그리고 어쩌면 그 다섯 명 중에 자신의 오라버니를 살해한 장예추가 있을지도 모른다고 생각했다.

그래서였다. 굳이 그녀가 이곳 악양부까지 오게 된 것은.

악양부에 온 그녀는 양수아와 함께 기녀로 변장, 거대한 화선 갑판에서 참가자들의 시중을 들면서 무림오적이라고 짐작될 만한 자들을 찾았다.

하지만 일가족으로 보이는, 어젯밤 객잔에서 마주쳤던 사람들 이외에는 특별히 수상해 보이는 자들이 없었다.

경매가 진행되는 동안 천소유는 자신의 예상이 빗나갔다고 생각했다. 그렇게 실망감과 이유를 알 수 없는 안도감이 교차할 때였다.

장예추가 걸어 나와 단상 뒤쪽으로 향하고 있었다.

그녀는 자신의 눈을 믿을 수가 없었다. 혹시, 하는 생각을 하고 찾아오기는 했지만 이렇게 장예추를 목도(目睹)할 줄은 전혀 몰랐다.

"예추……."

천소유는 이를 악물고 주먹을 불끈 쥔 채 장예추를 지켜보았다.

세월은 흘렀고 소년은 성장하여 이제는 어느덧 이십 대 중반의 청년으로 자랐다. 키는 별반 달라지지 않았지만, 체격은 훨씬 더 단단해졌고 눈빛은 더욱 깊어졌으며 표정은 예전보다 안정감을 주었다.

"잘 성장했구나."

천소유는 저도 모르게 그렇게 중얼거리다가 제풀에 화들짝 놀라며 정신을 차렸다. 그러고는 양수아에게 낮은 목소리로 지시를 내렸다.

"비월들을 모두 부르세요. 반드시 저 청년을 사로잡아야 해요."

양수아는 살짝 고개를 갸웃거리며 물었다.

"비월을 전부요? 제가 직접 잡으면 안 될까요?"

"아뇨. 절대 안 돼요."

천소유는 신신당부했다.

"양 단주는 결코 이길 수 없는 상대예요. 그러니 이곳 주변에 있는 모든 비월을 동원하도록 하세요."

"알겠습니다."

양수아는 불만 섞인 표정을 애써 감추며 호각을 꺼내 불었다. 일반 사람의 귀에는 들리지 않는, 고도의 훈련을 받은 자들만이 들을 수 있는 소리가 호각을 통해 동정호 저편까지 퍼졌다.

일순 용선의 호위무사로 변장하고 신분을 감췄던 수십 명의 검은 괴한들이 일시에 모습을 드러냈다. 그들은 용선에 있던 호위무사들을 베고 쓰러뜨리며 화선으로 올라탔다.

뒤늦게 그들의 기습을 알아차린 다른 용선의 호위무사들이 격렬하게 소리치며 막으려 했지만 역부족이었다.

수십 명의 괴한이 느닷없이 화선으로 뛰어오르자 이번에는 갑판에서 난리가 났다.

대부분의 경매 참가자들은 저 괴한들이 자신들의 주머니를 노리고 습격해 온 도적이라고 생각했다. 참가자들의 호위무사들 역시 그런 생각으로 괴한들을 향해 칼을 휘두르고 주먹을 날렸다.

싸움은 삽시간에 갑판 전역으로 퍼졌다.

불처럼 번진 싸움에 누가 적인지 아군인지 알 도리가 없었다. 아니, 알 필요가 없었다. 내 동료가 아니면 무조건 적이었다.

등을 돌리는 순간 칼이 날아들었고, 틈을 보이는 찰나 검이 찔러 왔다. 갑판은 이내 난장판이 되었다.

하지만 강만리 일행은 달랐다. 그들은 일반 참가자들은 도외시한 채 오직 비월과 맞서 싸우기 시작했다.

강만리와 담우천은 갑작스레 나타난 이 흑의인들이 어젯밤 바로 그 흑의인들이라는 사실을 알고 있었으며, 또 이자들을 부리는 여인이 비선의 인물일 가능성이 크다고 생각하는 중이었다.

"비선이라면 금해가가 부른 태극천맹의 원군 중 일부일 수 있습니다."

강만리의 말에 담우천도 고개를 끄덕이며 말했다.

"원로회의 구천자가 죽고 무정검왕이 중상을 입었으니 그들도 가만있지 않겠지."

"도망칠 수는 없습니다. 저 단상 뒤에 예추가 있으니까요."

"그럼 싸울 수밖에."

그렇게 뜻이 통한 그들은 곧 비월의 진로를 막고 싸움을 시작했다.

엉겁결에 적을 맞이하게 된 수십 명의 흑의인들은 단숨에 강만리 일행을 몰살하려 했다.

하지만 그들의 뜻과 의지는 실현되지 않았다. 강만리 일행은 그들이 생각한 것보다 몇 배는 더 강한 고수들이었으니까.

"도대체 저들은 누구지?"

천소유가 강만리 일행을 보면서 초조해하고 있을 때, 양수아는 그녀 몰래 단상 뒤 막사로 접근했다.

'절대로 상대가 되지 않는다니, 무인으로서 그런 치욕적인 말을 어찌 가만히 받아들일 수 있겠어?'

양수아는 입술을 깨물며 검을 빼 들었다. 단 일격의 암습으로 그 청년을 행동불능으로 만들 생각이었고, 또 그녀는 그럴 자신이 충분했다.

강만리 일행과 비월의 싸움에 정신이 팔렸던 천소유는

뒤늦게 양소유가 사라진 걸 알아차렸다. 그녀는 황급히 사방을 두리번거리다가 마침 강만리가 날린 지풍에 이마를 격중당하고 나자빠지는 양수아를 발견했다.

"양 단주!"

그녀는 악을 쓰며 양수아에게로 달려갔다. 장예추는 그녀를 본 척도 하지 않은 채 허공을 날아 강만리 일행에게로 날아갔다.

천소유는 우두커니 서서 양수아를 내려다보았다. 비명도 제대로 지르지 못한 채 목숨을 잃은 그녀가 아무렇게나 널브러져 있었다.

한참을 내려다보던 천소유가 이윽고 정신을 차렸을 때, 강만리 일행과 장예추의 모습은 어디에도 없었다.

천소유는 이내 반대쪽 난간으로 달려갔다. 막 밧줄을 푼 조그만 화선이 동정호 물결을 따라 멀어지고 있었다.

"비선의 수하들은 모두 저 배를 공격하세요!"

천소유는 난간에 매달린 채 악을 질렀다.

"젠장."

조그만 화선에 타고 있던 강만리의 얼굴이 사납게 일그러졌다.

문제는 비선의 수하들이 아니었다.

저 계집이 목이 찢어져라 악을 쓰는 소리에, 때마침 나타난 금해가와 태극천맹의 배들이 거대한 화선을 크게 돌아 강만리의 화선을 쫓기 시작했다는 사실이었다.

"도대체 저 계집은 뭐냐?"

강만리가 투덜거렸다.

"무슨 원수를 졌다고 왜 저렇게 우리를 죽이지 못해서 안달인 게지?"

장예추가 길게 한숨을 내쉬며 입을 열었다.

"확실히 원수를 지기는 했습니다."

"응? 너였어?"

강만리가 연신 노를 저으면서 장예추를 돌아보았다. 장예추는 고개를 끄덕이며 말했다.

"이야기하자면 깁니다."

"아니, 듣고 싶지 않아. 무엇보다 지금은 한시라도 빨리 이곳을 빠져나가야 하니까."

강만리는 팔뚝에 힘줄이 튀어나올 정도로 힘차게 노를 저으며 어두운 동정호 깊은 곳으로 화선을 몰기 시작했다.

7장.
도주(逃走)

"전력이 약한 쪽에서 취할 수 있는 공격 중에서
화공(火攻)처럼 간단하면서도 엄청난 위력을 발휘하는 공격이 없지.
그 화공의 위력은 이미 철목가의 가주를 상대하면서 경험해 봤으니까."

1. 어디로 가는 중인가?

동정호 악양루가 있는 기슭에서는 쉬지 않고 폭죽이 쏘아져 올랐다.

동정호의 밤하늘은 화려하게 반짝였고, 어두운 수면에 숨어 있던 모든 것들이 제 모습을 드러내야만 했다.

그때까지 자리를 지키고 있던 관중들은 너 나 할 것 없이 박수를 치고 환호하며 그 아름다운 장관을 구경했다.

그들은 지금 거대한 화선에서 무슨 일이 벌어지고 있는지 전혀 알지 못했다. 또한 수십 척의 쾌속선들이 일제히 화선을 향해 동정호 물결을 가르고 달려가는 이유에 대해서도 전혀 신경 쓰지 않았다.

쾌속선에 타고 있는 사람들은 금해가와 태극천맹의 무사들, 그리고 태극천맹 본산에서 보내온 원군들이었다. 그들은 거대한 화선을 향해 일직선으로 달려가다가, 문득 화선 갑판에서 악을 쓰는 여인의 외침을 들었다.

"비선의 수하들은 모두 저 배를 공격하세요!"

쾌속선에 타고 있는 사람 중 그녀를 확인한 몇몇 노인들의 눈이 휘둥그레졌다.

"아니, 비선주가 여기는 웬일로?"

노인들이 웅성거릴 때였다.

여인의 외침은 거기에서 끝나지 않았다. 그녀는 놀랍게도 이 쾌속선에 타고 있는 자들의 정체를 이미 알고 있는 듯했다. 갑자기 쾌속선들 쪽으로 고개를 돌린 그녀는 더욱 커다란 목소리로 외치기 시작했다.

"무림오적이 저 조그만 화선에 타고 있어요!"

일순 쾌속선의 사람들 표정이 달라졌다.

사실 그들은 거대한 화선에 가려서, 그 뒷면에서 무슨 일이 일어나고 있는지 전혀 알 수 없었다. 하지만 여인의 앙칼진 외침을 듣는 순간 그들은 빠르게 뱃머리를 돌려 거대한 화선의 좌우로 크게 돌아갔다.

순식간에 화선을 지나친 그들의 시야에 넓고 거대한 동정호의 수면이 펼쳐졌다. 그리고 그 수면을 가르고 미친 듯이 도주하는 조그만 화선을 발견할 수 있었다.

"저자들이로군."

선박들 중 선두의 쾌속선에 타고 있던 노인 한 명이 눈을 가느스름하게 뜬 채 그렇게 중얼거렸다.

폭죽이 쉬지 않고 사위를 환하게 밝혀 주고는 있지만 그래도 달빛 한 점 없는 어두운 밤이었다. 화선은 조그마했고 쾌속선과의 거리는 대략 백여 장가량 떨어져 있었다.

그럼에도 불구하고 노인은 그 화선에 올라탄 자들의 얼굴 하나하나를 알아보는 듯, 문득 눈을 동그랗게 뜨면서 의아하다는 듯이 중얼거렸다.

"음? 저 노인네는 곤륜노군 유 영감이 아닌가? 왜 무림 오적과 함께 있는 게지?"

노인의 말에 또 다른 노인이 놀란 표정을 지으며 물었다.

"확실하오, 연(燕) 형?"

연 형이라 불린 노인이 쓰게 웃으며 말했다.

"내 별호가 괜히 신안천리이겠소?"

신안천리(神眼千里) 연진남(燕晋男)은 말 그대로 천 리 밖의 사물을 확인할 수 있는 신안(神眼)을 가졌다고 알려진 인물이었다.

거기에 풍수와 사주에도 능하고 천기(天機)를 헤아릴 줄 아는 신묘한 재주까지 지니고 있다는 전대의 기인이었다.

"하기야 매의 눈은 믿지 못하더라도 연 형의 눈은 믿어야 하니까."

그렇게 중얼거린 노인이 고개를 갸웃거리며 중얼거렸다.

"이상한 일이구려. 왜 곤륜노군이 무림오적과 함께 있을까? 행여나 비선주가 착각한 건 아닐까?"

"그럴 리는 없을 것이오. 소 형도 잘 아시다시피 비록 나이는 어리지만 천 비선주의 역량은 누구보다 뛰어나니까 말이오. 그녀가 확증 없이 함부로 말하지는 않았을 것이오."

또 다른 노인, 진악패도(鎭嶽霸刀)라는 별호로 유명한 왕양군(王洋滉)이라는 노인의 말에 소 형이라 불린 노인이 고개를 끄덕이며 말했다.

"물론 비선주의 재주야 익히 잘 알고 있소이다. 하지만 그런 의문이 들 정도로 지금 상황이 기묘하다는 뜻이오."

"그건 그렇구려. 비록 우리와 뜻이 달라 원로회에서 발을 빼기는 했지만 그래도 어디까지나 정파의 당당한 원로께서 어찌 무림오적이라는 악적들과 함께 있는지 알수가 없구려."

"어쩌면 그들의 포로가 된 것인지도 모르오."

"으음, 그럴 수도 있겠구려. 우리를 협박하기 위한 인질일 수도……."

"역시 초 가주의 말씀대로 아주 극악한 놈들이구려. 이 기회에 놈들을 모두 잡지 못한다면 천추의 한으로 남겠소이다."

진악패도와 신안천리, 그리고 능운추풍(凌雲追風) 소제담(蘇啼湛)들이 두런두런 대화를 나누는 동안에도 그들이 타고 있는 쾌속선은 빠른 속도로 동정호의 물결을 가르며 화선과의 거리를 조금씩 좁혀 가고 있었다.

"젠장! 산 넘어 산이라더니."

설벽린은 어느새 오십여 장 가까이 다가오는 쾌속선들을 돌아보며, 아름다운 미모에 어울리지 않는 욕설을 내뱉었다.

"아호 듣는다."

강만리가 연신 노를 저으며 나무라자, 설벽린은 볼멘 목소리로 투덜거렸다.

"아호도 욕 정도는 할 수 있는 나이거든요. 그렇지?"

담호는 갑작스레 설벽린이 자신에게 묻자 엉겁결에 대답했다.

"그, 그렇죠."

"그거 봐요. 게다가 젠장이니 빌어먹을이니 하는 정도는 욕설 취급도 하지 않는다고요."

"됐다."

강만리는 이맛살을 찌푸리면서 화제를 돌렸다.

"흰소리는 그만하고 어떻게 여기에서 빠져나가야 할지 의견을 내놔라."

"머리 굴리는 거야 형님 몫이잖습니까?"

"지금 나는 노를 젓고 있지 않느냐?"

"노를 저으면서 머리도 굴릴 수 있잖습니까?"

"이, 이…… 아휴, 됐다. 네 녀석과 제대로 된 대화를 하려던 내가 멍청했던 게지."

강만리가 한숨을 내쉴 때였다.

"잠깐만 비켜 주시겠습니까?"

장예추가 화선 후미로 나서며 말했다.

설벽린이 의아한 표정을 지으며 몸을 비키자 장예추는 곧장 내공을 운기한 손으로 동정호의 수면을 후려쳤다.

콰앙!

그 순간 폭음과 함께 거센 물벼락이 튀었다. 그 반동으로 화선은 순식간에 십여 장 가까이 날아갔다.

강만리가 눈을 반짝이며 소리쳤다.

"괜히 지금껏 노를 저었잖아!"

장예추는 연신 쌍장을 휘둘러 수면을 후려쳤다. 화선은 말 그대로 물찬 제비처럼 수면 위를 통통 튀면서 도망치기 시작했다. 금세 쾌속선과의 거리가 벌어졌다.

하지만 쾌속선들도 가만있지 않았다.

화선을 뒤쫓는 쾌속선들에 타고 있는 이들 또한 강호

에서 내로라하는 고수들이었다. 그들은 장예추의 수법을 따라서 연신 수면을 강타했다.

새하얀 물보라가 사방으로 튀면서 쾌속선들 또한 물찬 제비처럼 화선의 뒤를 쫓기 시작했다.

쾌속선에서 누군가 중후하게 외치는 소리가 들려왔다.

"천하의 악적들은 더 이상의 도주를 포기하고 순순히 항복하라!"

"이런 젠장!"

화색이 돌던 설벽린의 얼굴에 또다시 짜증이 밀려들었다.

"그냥 놈들과 싸우는 건 어때요? 놈들에게 본때를 보여 주자고요."

그가 벌컥 화를 내며 소리칠 때였다. 다시 뒤쫓아 오는 쾌속선에서 예의 그 목소리가 들려왔다.

"인질을 풀고 순순히 항복하면 나 진악패도의 이름을 걸고 목숨만은 살려 주마!"

설벽린의 눈이 휘둥그레졌다.

"인질은 웬 인질?"

강만리도 고개를 갸웃거리다가 뭔가 깨달은 듯 씁쓸한 미소를 지으며 입을 열었다.

"아마도 유 사부를 알아본 모양이다. 그래서 우리가 유 사부를 인질로 삼고 있다고 착각하는 것일 테고."

"허어."

유 노대가 한숨도 탄식도 아닌 묘한 소리를 흘렸다. 그는 난감한 표정을 지은 채 오십여 장 안쪽으로 쫓아오는 쾌속선을 가만히 살피다가 고개를 끄덕이며 말했다.

"그렇군. 신안천리 연 늙은이가 타고 있었네."

어떻게 자신을 알아보았는지 그제야 이해가 된다는 표정이었다.

"응? 연 늙은이가? 그런데 나는 몰라본다고?"

만해거사가 고개를 삐죽 내밀며 쾌속선 쪽을 노려보았다. 유 노대가 인상을 찡그리며 말했다.

"자네야 워낙 인상부터가 달라지지 않았나?"

"흠, 그렇다고는 하지만 마음에 안 들기는 하네."

투덜거리던 만해거사는 문득 생각났다는 듯이 강만리를 돌아보며 물었다.

"그런데 어디로 가는 중인가? 목적지는 정해져 있는 게고?"

'그걸 이제 물어보신다고요?'

강만리가 한숨을 쉬며 입을 열었다.

"아뇨. 그저 무작정 도망치는 중입니다. 근처 기슭에 배를 대고는 싶지만 아무래도 육로 쪽으로도 금해가나 태극천맹 무사들이 진을 치고 있을 것 같아서……."

"그럼, 백귀도(百鬼島)는 어떤가?"

만해거사의 제안에 강만리의 눈이 동그랗게 변했다.

"백귀도라니요?"

처음 들어 보는 지명이었다.

만해거사는 어깨를 으쓱거리며 말했다.

"그곳에 내 지인이 살고 있다네."

"아! 초 늙은이?"

유 노대가 뒤늦게 생각났다는 듯이 제 무릎을 치며 말했다. 만해거사는 피식 웃으며 입을 열었다.

"그래. 애당초 우리가 동정호에 오게 되면 그 영감부터 찾기로 하지 않았나?"

"그렇지. 그 이야기를 까마득하게 잊고 있었네."

강만리는 무슨 영문인지 몰라 어리둥절한 표정을 지은 채 가만히 두 노인의 대화를 듣고 있었다.

이윽고 유 노대는 연신 동정호 수면을 휘갈기고 있는 장예추를 돌아보며 말했다.

"내가 백귀도의 위치를 알고 있으니 물길을 안내하겠네. 조심하게. 워낙 물길이 험하고 암초들이 많아서 동정호의 노련한 뱃사공들도 감히 그 근처에 갈 엄두도 내지 못하니까."

강만리도 장예추를 향해 말했다.

"고생했다. 이제부터는 내가 할 테니까 그만 쉬도록 해라."

안 그래도 내력을 상당히 소모한 장예추는 강만리의 제의를 거절하지 않고 순순히 받아들였다.

"고맙습니다."

장예추가 뒤로 물러났다. 강만리는 그가 있던 자리로 옮겨 가자마자 전력을 다해 수면을 내리쳤다.

콰앙!

요란한 굉음과 함께 장예추의 그것보다 몇 배는 더 큰 물보라가 사방으로 튀었다. 그들을 태운 화선이 새처럼 수면 위를 날아갔다. 화선에 타고 있던 사람들은 깜짝 놀라며 황급히 난간을 잡거나 선실 벽에 매달렸다.

확실히 내공만큼은 천하의 그 누구에게도 뒤지지 않는 강만리였다.

2. 쫓기는 사람들

동정호는 바다처럼 넓고 평야처럼 광활했다.

하늘 위에서 내려다보는 동정호는 거대한 한 마리 용이 머리를 들고 돌아보는 듯한 모습이었고, 그 머리 쪽에서 꼬리까지는 쾌속선을 타고 며칠을 달려야만 도달할 수 있는 거리였다.(註:동정호는 제주도의 2배 이상의 면적이다)

동정호에는 수천수만 개의 크고 작은 섬들이 있는데, 백귀도 역시 그중의 한 섬이었다.

백귀도 주변에는 암초들이 많아서 거칠고 탁한 물길이 만들어 내는 소용돌이가 곳곳에 자리 잡고 있었다.

암초는 수면 위로 튀어나와 있지는 않았다. 수면 아래에 뾰족하게 웅크리고 있다가 지나가는 배의 외판(外板)을 긁어 구멍을 내거나 부딪쳐 좌초시켰다.

그런 연유로 수십 년 동안 동정호의 물길을 타던 뱃사공들조차 감히 백귀도 근처에 다가가지 않았다. 굳이 백귀도가 아니더라도 섬은 많았으며, 심지어 물고기를 더 많이 잡을 수 있는 곳도 많았으니까.

"오른쪽으로."

"좌측으로, 조심하게! 앞에 큰 바위가 있네."

유 노대는 화선 선수에 오른 채 어두운 동정호 수면을 살피며 계속해서 소리쳤다.

강만리는 그의 지시에 따라서 오른쪽으로 장풍을 뿜어내거나 혹은 왼쪽으로 장풍을 후려치거나 혹은 선수 쪽으로 장력을 발출하면서 화선의 속도를 늦추기도 했다.

어느덧 악양루 기슭은 보이지 않을 정도로 멀리 달아났다. 기슭에서 쏘아 올리던 폭죽도 어느 순간부터 자취를 감췄다. 그야말로 사위가 깜깜한 어둠에 잠겨서, 오직 화선 선수에 매달린 등불만이 화선의 앞길을 밝혀 주고 있었다.

한쪽 구석진 자리로 옮겨 간 장예추는 적절한 휴식을 통해 어느 정도 내공을 회복했다. 그는 입술을 깨문 채 자신들을 뒤쫓는 쾌속선들을 주시했다.

강만리가 엄청난 내공으로 뿌려 댄 장력 덕분이었을까. 아니면 한 치 앞도 보이지 않는 어두운 동정호의 수면 때문이었을까. 쾌속선들에 매달린 등불의 불빛은 백여 장 이상 떨어진 곳에서 반딧불처럼 흔들리고 있었다.

이대로라면 굳이 백귀도로 향하지 않더라도 쉽게 저들의 추격을 뿌리치고 도주할 수 있을 것 같았다.

'군악.'

장예추의 뇌리는 온통 화군악 생각뿐이었다. 한시라도 빨리 그의 입에 피독주를 물려야 했다. 그리고 이곳 악양을 벗어나 당혜혜에게 화군악을 보여 주어야 했다. 당혜혜라면 그를 살릴지도 몰랐다.

그때였다.

"이리로 오게."

화선 선실에 앉아 있던 담우천이 그를 불렀다. 장예추는 머뭇거리다가 선실 안으로 들어갔다. 나찰염요와 담호가 좌우로 움직이며 그의 자리를 만들어 주었다.

장예추는 자리에 앉으며 선실 밖을 둘러보았다. 일반적인 선실과는 달리, 물놀이를 하면서 풍광을 즐기는 게 바로 이 화선의 용도인 만큼 화선의 선실에서는 바깥 풍경을 훤히 바라볼 수 있었다.

담우천은 차분한 어조로 말했다.

"군악에게 무슨 일이 있었는지 상세하게 이야기해 주게."

그들이 서로 만난 후 지금까지 워낙 다급한 상황이었던지라 장예추는 그저 화군악이 극독에 중독되었다는 이야기만 했을 뿐이었다.

그나마 적들과의 거리가 벌어졌고 또 백귀도에 가까이 다다르면서 화선의 속도가 늦춰진 지금에서야 좀 더 제대로 된 설명을 할 기회가 생긴 것이다.

장예추는 낮고 차분한 목소리로 황계의 안가 지하 석실에서 화군악을 발견한 시점부터 이야기하기 시작했다.

그의 나직한 목소리는 백귀도 주변이 거친 물살 소리에 휘감기며 산산이 부서졌다.

하지만 화선에 타고 있던 이들은 하나같이 절정의 고수들이었다. 그들은 각자 위치에서 제 할 일을 하면서도 장예추의 이야기에 귀를 기울였다.

오로지 설벽린만이 답답하다는 듯 선실로 자리를 옮겨서 장예추의 이야기를 들었다.

장예추의 이야기가 이어지는 동안, 화선은 느릿하고 신중하게 물살을 헤치며 앞으로 나아갔다. 강만리는 더 이상 장풍으로 수면을 후려치지 않았다.

대신 그는 유 노대의 지시에 따라 아주 조심스럽게 노를 저으며 화선을 조종했다.

"그러니 솔직한 마음으로는 이런 곳에서 머뭇거릴 게 아니라 쫓아오는 모든 놈들을 박살 내고 서둘러 군악에게 달려가고 싶을 따름입니다."

이윽고 그 말을 끝으로 장예추의 모든 이야기가 마무리되었다. 담우천은 잠자코 고개를 끄덕였다.

사람들의 얼굴은 심각하고 딱딱하게 굳어져 있었다. 지금 화군악이 얼마나 다급한 상황에 처해 있는지 알게 된 까닭이었다.

설벽린이 주먹을 불끈 쥐며 말했다.

"그래, 내가 먼저 그렇게 주장했잖아. 우리를 쫓아오는 자들은 늙은이, 계집 할 것 없이 다 해치워 버리자고 말이야."

나찰염요가 가볍게 눈살을 찌푸리며 입을 열었다.

"전쟁이라도 벌이자는 건가요?"

"필요하면요."

설벽린이 대꾸했다.

"지금까지 무적가와도 싸우고, 철목가와도 싸워 왔잖습니까? 그런데 겨우 금해가 정도를 두려워할 필요가 어디 있겠습니까?"

"무식한 소리."

강만리가 노를 저으며 혀를 찼다.

"금해가는 겨우 그깟 소리를 들을 상대가 아니다. 저 백팔숙객만 하더라도 상당한 골치인 데다가, 조금 전 보아하니 태극천맹 본산에서도 비선이나 원로회 등 상당한 원군을 보낸 것 같다. 아무 계획도 준비도 없이 그들과 싸운다는 건 그야말로 무식한 소리에 불과하다."

"조심하게. 우측에 암초가 있네."

유 노대의 갑작스런 말에 강만리는 당황해하며 노를 크게 저었다.

쿵! 소리와 함께 화선의 옆구리가 암초에 부딪혔다. 만해거사가 서둘러 달려가 확인하고는 안도의 한숨을 내쉬었다.

"다행히 살짝 부딪쳤네. 아무 이상 없다."

강만리는 식은땀을 흘리며 설벽린을 노려보았다. 설벽린은 전혀 신경 쓰지 않은 채 말했다.

"그럼 지금부터 계획을 세우고 준비하면 되잖습니까?"

"말은 잘한다. 그럼 어디 한번 네가 계획을 세워 봐라."

"저라면 빈집을 털겠습니다."

강만리의 말에 설벽린은 기다렸다는 듯이 말했다.

"이른바 성동격서(聲東擊西)일 수도 있겠네요. 어쨌든 내가 원하는 쪽으로 적의 이목과 병력이 집중하게 만든 다음, 우리는 반대쪽으로 느긋하게 빠져나가는 겁니다. 만약 군악만을 구하고자 한다면 그게 가장 좋은 방법이 될 것이고요."

옆자리에서 가만히 듣고 있던 담호의 눈빛이 반짝였다. 지금 설벽린의 이야기는 며칠 전 다관에서 만해거사가 담호에게 이야기해 주었던 바로 그 내용임을 깨달았던 것이다.

─병법(兵法)을 보자면 내가 원하는 곳으로 적이 이목을 집중하고 병력이 모여들게 하는 게 승리의 첫 번째 요인이라고 했다.

만해거사도 그걸 눈치챘는지 가볍게 눈살을 찌푸리며 입을 열었다.

"그거 어디서 많이 들어 본 이야기다."

"하하하. 저는 기억나지 않는데요?"

설벽린이 유쾌하게 웃으며 말했다.

"어쨌든 굳이 전쟁이 싫으시다면 그런 방법도 있습니다. 물론 저라면 빈집을 털고 거기다가 금해가주를 잡아 죽인 다음, 불까지 내질러서 아예 금해가가 폭삭 망하게 만들겠지만 말입니다."

"음?"

노를 젓던 강만리가 반응했다.

"그거 나쁘지 않네."

설벽린의 표정이 환해졌다.

"그렇죠? 순간적으로 생각한 건데, 아주 훌륭한 방법이죠?"

"훌륭할 것까지야 어디 있겠느냐? 그저 나쁘지 않다는 것뿐이다."

강만리가 눈을 흘기며 말할 때, 만해거사가 그에게로 다가가 노를 건네받았다.

"자네는 들어가서 이야기하게. 나와 유 늙은이가 백귀도까지 안전하게 배를 몰 터이니."

"고맙습니다, 만해 사부."

강만리는 서둘러 선실로 들어와 앉으며 입을 열었다.

"전력이 약한 쪽에서 취할 수 있는 공격 중에서 화공(火攻)처럼 간단하면서도 엄청난 위력을 발휘하는 공격이 없지. 그 화공의 위력은 이미 철목가의 가주를 상대하면서 경험해 봤으니까."

일순 사람들은 고개를 끄덕였다.

당시 강만리들은 느닷없이 솟구친 불길로 인해 철목가 무사들이 이리 뛰고 저리 뛰는 틈을 타서 철목가주 정극신 앞까지 다다를 수가 있었다.

그리고 이번에도 그러지 말라는 법은 없었다.

"우리를 뒤쫓느라 모든 병력이 이곳으로 투입된 까닭에 지금의 금해가는 무주공산(無主空山)에 가까울 것이다. 그러니 확실히 그 어느 때보다도 쉽게 잠입할 수가 있겠지."

"말 그대로 빈집털이라니까요."

"건물 곳곳에 불을 지르면서 소란을 피우는 거야. 그 와중에 금해가주를 죽이거나 생포한다면 더더욱 좋고. 어쨌든 금해가가 불타면 우리를 뒤쫓던 모든 병력이 회군하여 돌아갈 것이다."

"맞습니다. 이른바 성동격서라고나 할까요? 군악을 구하기 위해서 금해가를 치는 거죠. 그리고 놈들에게도 본때를 보여 주는 겁니다. 감히 우리가 누구인지 알고 덤비는 건지 똑똑히……."

"그럼 우선 두 패로 나뉘어서 행동해야겠지. 한쪽은 금해가를 치고, 금해가를 치는 동안 다른 한쪽은 군악을 구하고. 금해가를 쳤던 쪽은 병력들이 몰려오기 전에 그곳을 빠져나가 군악을 구한 패와 합류하는 거야."

"바로 제 말이 그 말입니다. 욕심 같아서는 이참에 아예 금해가를 괴멸시키는 것도……."

"흐음. 좋은 계획이네. 역시 만리, 자네가 세운 계획답네."

"저도 강 도련님께서 제안하신 계획이 마음에 들어요."

"아, 아니! 그건 제가 말한 거잖습니까? 그리고 다들 왜 제 말에는 반응도 하지 않으시는 건데요?"

"그럼 백귀도에 당도해서 그 초 영감인가 뭔가 하는 사람을 만나는 대로 패를 나눕시다. 아무래도 배 한 척은 더 필요할 테니까 말입니다."

"그래. 그렇게 함세."

"아니, 강 형님. 담 형님. 왜 제 말은 무시하시는데요?"

설벽린이 억울하다는 듯이 외치는 소리는 이내 백귀도 주변 탁류에 휘말려 거품처럼 사라졌다.

3. 쫓는 자들

쿵!

요란한 소리와 함께 암초에 부딪힌 뱃전이 박살 났다. 순식간에 배 안으로 물이 들이닥쳤고, 쾌속선 한 척이 그렇게 동정호 어두운 수면 아래로 잠겼다.

다행히 수몰되는 쾌속선에 타고 있던 이들은 대부분 절정의 고수들이었고, 그들은 쾌속선이 물에 잠기자마자 경공술을 발휘하여 주변에 있던 다른 배로 옮겨 탔다.

"조심하시오! 사방이 암초투성이요!"

"앞에 소용돌이가 있소이다! 뒤로 물러나시오!"

백귀도를 향해 접근하던 각 쾌속선에서 연거푸 당황한 목소리들이 터져 나왔다.

그그긍!

수면 아래에 숨어 있던 암초에 의해 배 밑바닥이 긁히는 소리가 요란했다. 거센 격류에 휘말려 방향을 잃고 출렁이던 쾌속선 한 척이 옆으로 쓰러졌다.

쾌속선에 타고 있던 이들이 이리 날고 저리 뛰면서 다른 쾌속선으로 옮겨 타기를 반복했다.

도저히 안 되겠다 싶었는지 누군가 크게 외쳤다.

"모두 후퇴합시다!"

기다렸다는 듯이 쾌속선들이 방향을 바꿔 뒤로 물러났다. 그 짧은 순간 대여섯 척의 쾌속선들이 암초에 부딪치거나 격류에 휘말려 가라앉았고, 그 와중에 무공이 약한 자들과 수부(水夫)들도 함께 수장되었다.

"쇤네들이 뭐라 했습니까? 낮에도 접근하지 못하는 곳이라고 몇 번이나 말씀드렸잖습니까?"

졸지에 동료 수부들을 잃어버린 수부들이 눈물을 펑펑 흘리며 아우성쳤다.

노인들은 아무런 대꾸도 할 수 없었다.

확실히 수부들은 백귀도에 접근하기 전에 미리 경고를 주었다. 이렇게 앞이 전혀 보이지 않을 정도로 어두울 때의 백귀도 주변은 가히 지옥과 같다고, 날이 밝을 때까지 접근하지 않는 게 최선의 방법이라고 조언했다.

하지만 노인들은 코웃음을 치며 그들의 조언을 걷어찼다. 그 결과 하마터면 자신들을 물론 백여 명의 아까운 수하들을 모두 잃어버릴 뻔했다.

"흠, 이미 지나간 일이네. 후회하고 자책할 시간이 있으면 차후 방법을 강구하는 게 훨씬 효율적이야."

그렇게 말한 노인은 곧바로 사람들을 풀어 각 쾌속선에 나눠 타고 있던 다른 노인들을 불러 모았다. 노인을 비롯한 열두 명의 노인들이 한자리에 모였다.

"생각보다 일이 귀찮게 되었소."

열한 명의 노인들을 불러 모은 노인, 아마도 이 무리 중에서 가장 발언권이 강해 보이는 노인의 이름은 추화룡(鄒華龍), 별호는 사해유협(四海遊俠)이었다.

풍류를 즐길 줄 알고 인의(仁義)를 중시하며 정의를 추구하는 데 한 점 흔들림이 없어서 뭇 사람들의 존경을 받는 인물이었다.

사해유협은 동료 노인들을 돌아보며 말을 이었다.

"아무래도 저 백귀도라는 섬에는 쉽게 접근하지 못할 것 같소이다. 수부들의 말을 빌자면 한낮에도 어부들이 꺼리는 곳이라고 하오."

진악패도가 눈을 찌푸리며 말했다.

"그렇다면 어찌 저 화선은 백귀도로 들어간 것이오? 설

도주(逃走) 〈221〉

마 용왕(龍王)이 노를 젓는 것도 아닐 텐데."

"아마도 놈들 중에 이곳 물길을 잘 아는 이가 있나 보오. 애당초 놈들이 이곳으로 온 것 역시 백귀도 주변의 물길이 얼마나 거세고 위험한지 잘 알고 있기 때문이 아니겠소?"

"흠, 그럼 이제 어찌해야 하오?"

"글쎄요. 그걸 의논하기 위해서 여러분들을 오시라고 한 겁니다. 우리가 머리를 맞대면 뾰족한 수가 나오지 않겠소이까?"

노인들은 꽤 오랫동안 고민하며 심사숙고하여 의견을 나누었으나 별 마땅한 방법이 나오지 않았다. 그저 백귀도를 포위한 채 날이 밝기만을 기다리는 수밖에 없었다.

사해유협은 백귀도를 돌아보며 수부에게 물었다.

"백귀도가 얼마나 큰 섬인가?"

수부는 분하고 억울하다는 표정을 감추지 못한 채 떨떠름하게 대꾸했다.

"동(東)에서 서(西)로는 걸어서 나흘, 남(南)에서 북(北)으로는 걸어서 이틀 정도 걸립니다."

"흠."

사해유협은 가볍게 눈살을 찌푸렸다.

생각보다 작은 섬이 아니었다. 이만한 크기의 섬을 에워싸려면 지금의 쾌속선들만으로는 부족했다. 더 큰 규모의 배가 충원되어야 했다.

사해유협은 잠시 생각하다가 금해가의 무사를 불러 물었다.

"기슭 쪽에는 얼마나 많은 이들이 남아 있지?"

무사는 공손하게 대답했다.

"대략 천오백 명 정도 되는 인원이 양쪽 기슭으로 나뉜 채 움직이고 있습니다."

거기에다가 지금 쾌속선에 타고 있는 오백여 명의 무사들까지 합쳐서 이천여 명. 그게 금해가 사람들, 백팔숙객, 태극천맹 지부의 무사들, 거기에 본산에서 온 원군까지 포함한 규모였다.

사해유협은 다시 수부를 돌아보며 물었다.

"만약 우리가 백귀도를 사방으로 에워싸려면 지금보다 얼마나 많은 배가 필요할까?"

"적어도 열 배는 더 있어야 하지 않겠습니까?"

"그만한 배가 나루에 있고?"

"조그만 나룻배와 화선까지 모두 끌어모으면 가능할 것 같습니다."

"좋아."

사해유협은 고개를 끄덕인 후 금해가 무사를 돌아보며 지시를 내렸다.

"그대는 돌아가 모든 병력을 이곳으로 모이게 하게. 들어서 알겠지만 천오백 명의 인원을 오백 척가량의 배에 나눠 태우고 이곳으로 오게 하게."

듣고 있던 무사가 조심스레 말했다.

"조금 전 그 거대한 화선을 이용하면 조금 더 쉬울 것 같습니다만."

"아, 그렇군. 그 화선의 주인이 누구라고 했지?"

"강서낭추 조태수라고 합니다."

"좋아. 가는 길에 화선에 들르게. 만약 비선주가 아직 그곳에 남아 있다면 그녀에게 이 내용을 이야기해 주고 조언을 듣게. 만약 그녀가 새로운 지시를 내리면 그 지시에 따르도록 하고."

사해유협은 비선주 천소유를 상당히 신뢰하고 신임하는 듯 그렇게 지시를 마쳤다.

금해가의 무사는 곧장 다른 쾌속선에 올라탄 후 서둘러 거대한 화선이 있는 방향으로 배를 몰았다.

놀랍게도 거대한 화선은 그리 멀리 않은 곳에 있었다. 동정호 물결에 떠밀려온 것처럼 아니면 누군가가 거대한 화선을 조종하는 것처럼 화선은 백귀도를 향해 천천히 다가오고 있었다.

금해가 무사는 깜짝 놀랐지만, 깊은 생각을 할 겨를도 없이 선수에 서서 크게 외쳤다.

"혹시 비선주가 그곳에 계십니까?"

화선의 난간에 한 여인이 모습을 드러냈다. 금해가 무사가 다시 외쳤다.

"비선주이십니까?"

여인, 천소유가 고개를 끄덕이며 소리쳤다.

"그래요!"

금해가 무사는 곧장 갑판을 박차고 허공을 날아 화선의 갑판으로 뛰어올랐다.

"금해가의 순찰단주(巡察團主) 신우현(申宇晛)이 삼가 천맹의 비선주를 뵙습니다."

천소유를 향해 허리를 숙였다가 고개를 든 신우현은 저도 모르게 갑판 주변을 훑어보다가 일순 눈을 휘둥그레 떴다.

거대한 화선의 갑판에는 수백 명의 무인이 도열해 있었는데, 그들은 다름 아닌 악양루 기슭에 포진하고 있던 태극천맹 지부의 무사들이었다.

"아니, 이들이 어떻게?"

신우현이 저도 모르게 중얼거리자 천소유는 짧게 말했다.

"경매 참가자들을 모두 내려 보내고 대신 이들을 태웠어요. 반드시 필요할 것 같아서요."

신우현은 놀란 눈으로 천소유를 바라보았다. 천소유는 다급함을 감춘 부드러운 목소리로 말을 이었다.

"양쪽 연안을 따라 움직이고 있는 무사들에게도 따로 연락을 취해서 배를 구하라고 해 둔 참이에요."

신우현은 더욱 놀라 입을 벌렸다.

마치 백귀도 일대의 상황을 지켜보기라도 한 듯, 아니면 사해유협의 곁에서 그의 지시를 듣기라도 한 것처럼 믿을 수 없게도 천소유는 미리 필요한 대책을 시의적절하게 취해 둔 것이다.

천소유는 빠른 어조로 말을 이었다.

"그럼 무슨 일로 나를 찾아왔는지 말씀해 주세요."

"아, 그게 그러니까……."

신우현은 더듬거리다가 힘겹게 제정신을 차리고 상황을 설명했다. 그가 강만리 일행을 뒤쫓다가 백귀도 일대에서 꼼짝없이 묶인 상황에 대해 이야기하자, 천소유는 고개를 끄덕이며 말했다.

"그럴 것 같았어요. 양쪽 연안을 따라서 우리 천맹과 금해가의 무사들이 이동하는 걸 아는 이상, 쉽게 기슭으로 올라오지 못할 것 같았죠. 아마도 동정호의 수많은 섬 중 한 곳에서 진을 치고 농성하지 않을까 싶어서 미리 준비한 건데…… 다행히 내 예상대로 들어맞았네요."

그녀는 놀란 눈으로 자신을 바라보는 신우현을 향해 말을 이어 나갔다.

"그럼 단주께서는 금해가분들에게 상황 설명을 하고

우리와 발을 맞추도록 하세요."

"그리하겠습니다."

신우현은 꾸벅 인사를 하고 자리를 뜨려 했다. 그때 천소유가 갑자기 그를 붙잡았다.

"아, 잠깐만요."

"무슨 말씀이라도……."

신우현이 그녀를 돌아보았다. 천소유는 심각한 표정을 지으며 생각하다가 나직하게 말했다.

"혹시라도 모르니까 금해가에도 사람을 보내 두세요. 도둑을 잡겠다고 서로 집을 나섰다가 도리어 빈집털이를 당할 수도 있으니까요."

신우현은 한없이 공손하고 정중하게 허리를 숙였다.

"반드시 그리 전하겠습니다."

신우현은 곧장 화선에서 뛰어내려 쾌속선에 오른 후 곧장 악양루 기슭을 향해 배를 몰았다.

천소유가 탄 거대한 화선은 다시 느릿한 속도로 백귀도를 향해 움직였다. 그녀는 난간에 서서 아무것도 보이지 않는 동정호 저편을 노려보았다.

얼마나 시간이 흘렀을까. 멀리 반딧불처럼 희미하게 반짝이는 불빛들이 보이기 시작했다. 사해유협들이 타고 있는 쾌속선들의 등불이었다.

8장.
백귀도(百鬼島)

"여기 계시는 분은 독웅의선이라고 한다.
귀영신의 초 어르신과 더불어 전설적인 의생이시다.
모르기는 몰라도 어지간한 병이나 부상은 다 고치실 수 있을 게다."

백귀도(百鬼島)

1. 침입자사(侵入者死)

"그 늙은이를 설득하려고 얼마나 이곳을 찾아왔는지 모른다네. 결국 설득하지는 못했지만 그래도 백귀도로 들어가는 물길 하나는 누구보다도 더 잘 탈 수 있게 되었지."

유 노대는 수많은 암초와 격류 사이로 화선을 이리저리 몰며 말했다. 확실히 백귀도로 들어서는 물길의 길목은 노련한 뱃사공들조차 두려워할 정도로 거세고 험난했다.

그 험한 물길을 무사히 지나자 다시 평온한 수면이 백귀도까지 이어지고 있었다.

유 노대는 백귀도 기슭에 화선을 대면서 어깨를 으쓱거렸다.

"저 녀석들은 감히 들어올 엄두도 내지 못하고 있잖나?"

사람들은 그의 시선을 따라 뒤돌아보았다.

어둠이 내려앉은 수면 저 멀리에서 쾌속선의 선수에 매달린 등불들이 반딧불처럼 반짝이고 있었다.

비록 쾌속선마다 노회한 뱃사공과 수부들이 타고 있었지만, 그들 역시 이 새까만 어둠 속에서 격랑과 암초를 뚫고 백귀도에 다가올 자신이 없었던 것이다.

그들을 바라보던 설벽린이 좋은 생각이 났다는 듯 눈을 반짝이며 입을 열었다.

"그럼 저렇게 저들의 발이 묶여 있을 때 아무도 모르게 백귀도 뒤쪽으로 돌아가서 빠져나가죠."

"그래서 초 늙은이를 만나러 가는 게다."

유 노대는 살짝 민망한 미소를 지으며 말했다.

"내가 아는 백귀도 물길은 이거 하나뿐이니까."

설벽린이 실망하는 표정을 짓자 유 노대는 서둘러 말을 덧붙였다.

"하지만 초 늙은이라면 뒤쪽의 물길도 잘 알고 있을 게다. 어쨌든 이곳에 터를 잡고 살고 있으니까. 자, 다 왔다. 배에서들 내리자."

유 노대는 화선을 백귀도 기슭에 댄 다음 떠내려가지 않도록 단단히 매 뒀다. 그러고는 역시 짙은 어둠이 음침하게 내려앉아 있는 백귀도를 향해 발길을 옮겼다.

"그 노인네가 아직도 이 섬에 있을까요?"

설벽린이 앞서 걷던 유 노대를 따라잡으며 물었다. 유 노대는 화선에서 가지고 온 등불을 높이 들고 주변을 확인하면서 대꾸했다.

"그야 모르지. 마지막으로 그를 본 지도 벌써 이삼 년이 훌쩍 넘었으니까."

"흠, 고기밥이 되었을 수도 있겠네요."

"허튼소리."

뒤따라오던 만해거사가 설벽린의 뒤통수에 알밤을 먹였다.

"아야."

설벽린은 머리를 감싸고는 샐쭉한 표정을 지으며 만해거사를 노려보았다. 만해거사가 한숨을 흘리며 고개를 설레설레 흔들었다.

"허어. 생긴 건 진짜 기생처럼 생긴 것이 입은 시정잡배보다 훨씬 더 험하구나."

여전히 여인의 변장을 하고 있던 설벽린이 눈을 흘기며 입을 열려고 할 때였다.

"음?"

유 노대가 묘한 신음을 흘리며 걸음을 멈췄다. 그 바람에 뒤의 만해거사를 돌아보며 걷던 설벽린이 그의 등에 부딪치게 되었다.

설벽린이 짜증을 부리며 한마디 하려 했지만 이번에도 유 노대가 먼저 입을 열었다.

"이상하군."

"뭐가 이상합니까?"

뒤이어 걸어온 강만리가 옆에 서며 묻자, 유 노대는 고개를 갸웃거리며 말했다.

"원래 이곳에는 아무것도 없었거든. 저런 험한 문구 같은 건 더더욱 말일세."

강만리는 유 노대가 가리키는 방향으로 시선을 집중했다.

연안(沿岸)에서 숲으로 이어지는 길목에 우뚝 서 있는 아름드리나무에 두 자 크기의 팻말이 박혀 있었다. 그리고 그 팻말에는 네 개의 글자가 피처럼 붉은 물감으로 섬뜩하게 쓰여 있었다.

─침입자사(侵入者死)

"으음. 정말 초 늙은이가 쓴 걸까?"

만해거사가 눈살을 찌푸리며 중얼거렸다.

"아니지 싶네. 초 늙은이 평소 성격을 생각하면 아무리 경고라 할지라도 저렇게까지 독하게 쓰지는 않았을 걸세."

"그래. 나도 그리 생각하네."

유 노대의 말에 만해거사는 고개를 끄덕였다.

그들은 초유동과 오랜 친구였고, 누구보다도 많은 이야기를 나눈 사이이기에 서로를 너무나도 잘 알고 있었다.

원래 초유동의 별호는 귀영신의(鬼影神醫)였다. 그 귀영신의라는 별호에서 알 수 있듯이 초유동은 신법과 의술에 관해서 탁월한 능력을 발휘했다.

그래서 유 노대와는 신법으로 토론하고 만해거사와는 의술 이야기로 숱한 밤을 새우기도 했다.

유 노대와 만해거사가 아는 초유동은 소년처럼 눈빛이 맑고 해맑은, 순수한 영혼의 소유자였다. 그런 초유동이 '함부로 들어오면 죽는다'라는 식의 무시무시한 경고를 할 리가 없었다.

"초 영감님이라면 저도 안면이 있습니다."

담우천이 불쑥 입을 열었다. 나찰염요도 고개를 끄덕이며 말했다.

"저도 뵌 적이 있어요. 그때만 하더라도 정말 정이 넘치고 호쾌하며 쾌활하던 분이셨는데."

두 사람은 다른 동료들과 함께 수년 전 야시(夜市)에서 한바탕 싸움을 벌였는데, 그때 초유동이 귀한 영약까지 아낌없이 사용하면서 아무런 인연도 없던 담우천을 치료해 준 적이 있었다.

담우천과 나찰염요의 말에 유 노대와 만해거사는 서로를 돌아보았다.

"도대체 요 몇 년 동안 무슨 일이 있었던 건가?"

"글쎄. 만나면 알게 되겠지. 어서 가세."

두 노인은 서둘러 발길을 옮겼다. 강만리와 설벽린을 비롯한 사람들은 그들을 따라서 숲 한가운데 오솔길처럼 난 조그만 길로 접어들었다.

"으음?"

또다시 유 노대가 걸음을 멈췄다. 등불을 높이 들고 뭔가 살피던 그는 이내 피식 웃으며 중얼거렸다.

"역시 초 늙은이라니까."

강만리와 설벽린은 유 노대에게 다가갔다. 조금 전과 비슷한 팻말이 정면에 우뚝 서 있는 나무에 매달려 있었다.

-파각답진(把脚踏进) 취사정료(就死定了)

발을 들여 놓으면 진짜로 죽는다.

그 글귀를 읽은 만해거사도 미소를 지었다.

"그래, 초 늙은이답군. 단번에 죽이지 않고 계속해서 경고만 하는 걸 보니 말일세."

"허허. 뭐, 걱정할 필요는 없을 것 같군. 아마도 몰래 숨어 들어와 초 늙은이가 잡아 둔 물고기나 식량을 훔쳐 가는 어부들을 겨냥하고 쓴 글귀 같네."

"나도 그리 생각했네. 이 백귀도 주변 물길이 험한 만큼 귀하고 맛있는 물고기들이 서식한다고 들었거든."

두 노인은 안도한 듯 한층 밝아진 얼굴로 그렇게 수다를 떨며 숲 안으로 걸어갔다. 설벽린이 그들에게 달라붙으며 물었다.

"어딘지 알고 가시는 겁니까?"

"그럼 모르고 가겠느냐?"

유 노대가 타박을 주며 말했다.

"이 오솔길을 따라 한참 올라가면 산등성이에 공터가 나온다. 초 늙은이는 그 공터에 오두막집을 짓고 유유자적 살아가는 중이다."

"그럼 조금 더 빨리 가시죠. 군악의 상세가 언제 어떻게 변할지 모르니까요."

"그래서 궁리를 하며 가고 있는 게다."

유 노대가 문득 한숨을 쉬며 말했다.

"평소 약왕문(藥王門)의 영약이라고 사기 치던 삼정활혼단(三鼎活魂丹)이 아직 초 늙은이에게 있다면 어쩌면 군악의 중독도 해결할 수 있을 게다. 또 말년에는 독술(毒術)에 관해서 공부를 시작했으니 삼정활혼단이 아니더라도 분명 도움이 될 것이야."

"호오, 그랬나?"

만해거사가 눈빛을 반짝이며 물었다.

"십여 년 전만 하더라도 독을 연구하느니 만병통치약을 제조하는 게 훨씬 낫다고 했는데 말이지."

유 노대가 어깨를 으쓱거리며 말했다.

"왜 그가 독술을 연구하기 시작했는지는 나중에 직접 만나서 물어보게."

"응? 왜? 설마 나와 관련이 있는 겐가?"

"그건 모르겠네. 어쨌든 그를 이곳 백귀도에서 데리고 나갈 수만 있다면 군악에게도 상당한 도움이 될 게야. 그래서 지금 그를 데리고 나갈 방법을 궁리하는 중이고."

유 노대는 설벽린을 돌아보며 말을 맺었다. 설벽린은 고개를 끄덕이며 무심코 발을 옮겼다.

그 순간, 설벽린의 발목이 무언가를 툭! 하고 건드렸다. 동시에 파앙! 하는 세찬 파공성과 함께 설벽린의 머리를 노리고 거대한 통나무가 날아들었다.

2. 고약한 함정

"위험하다!"

"위험해!"

만해거사와 유 노대가 동시에 소리치며 양쪽에서 설벽

린의 어깨를 잡아당겼다.

설벽린은 그대로 뒤로 나자빠졌고, 그 위로 우웅! 소리를 내며 통나무가 스쳐 지나갔다. 뒤늦게 설벽린이 화들짝 놀라며 소리쳤다.

"뭐, 뭐냐?"

오른쪽 숲에서 날아들었다가 왼쪽 숲으로 사라졌던 통나무가 다시 우웅! 하는 소리와 함께 되돌아왔다. 만해거사가 눈살을 찌푸리며 손을 뻗어 통나무를 잡아 세웠다.

"이런!"

일순 만해거사는 깜짝 놀라며 통나무에서 손을 뗐다. 통나무에 손을 대는 순간 무언가 끈적거리는 것이 손에 달라붙었던 것이다.

만해거사는 황급히 손을 내려다보았다. 손바닥 전체에 아교처럼 끈끈하고 객담(喀痰)처럼 끈적이는 황갈색의 물질이 묻어 있었다. 그는 인상을 찡그리며 저도 모르게 옷자락에 손을 대고 닦으려 했다.

"잠깐만!"

유 노대가 황급히 제지했다. 만해거사는 눈을 동그랗게 뜨고 그를 돌아보았다.

유 노대는 아무 말 없이 주변을 둘러보다가 나뭇가지 하나를 찾아 들었다.

그는 곧 허공에 매달린 채 오솔길을 가로막고 있는 통

나무에 그 나뭇가지를 비벼댔다. 끈적이는 물체가 나뭇가지에 묻나 싶더니, 이내 나뭇가지는 통나무에 찰싹 달라붙어 떨어지지 않았다.

"허어."

의아한 눈빛으로 그 광경을 지켜보던 만해거사가 저도 모르게 탄식했다. 유 노대는 몇 차례 나뭇가지를 움직여 보다가 손을 놓으며 말했다.

"접착제인 것 같네. 그것도 순식간에 접착시켜서 떨어지지 않게 만드는 강력한 접착력을 지닌."

"이런……."

만해거사는 다시 제 손을 내려다보았다.

그 황갈색의 끈적거리는 액체는 이내 말라붙어서 딱딱하게 굳어지고 있었다. 만약 유 노대가 말리지 않았더라면 그 황갈색의 액체로 인해, 옷자락에 손이 찰싹 달라붙어서 어찌할 바 모르는 광경을 연출했을지도 모르는 일이었다.

"아주 고약한 함정입니다."

뒤따라온 강만리가 눈살을 찌푸리며 말했다.

"통나무를 피한 침입자는 본능적으로 통나무를 멈추려 할 테고, 만약 만해 사부처럼 재빠르게 대처하지 못한다면 그야말로 통나무에 손이 철썩 달라붙은 채 옴짝달싹 하지 못하게 만드는 함정입니다."

"흠, 이걸 초 늙은이가 만들었다고?"

"아마도 그는 두 분 사부가 알고 지내던 예전의 그가 아닐지도 모릅니다."

강만리의 말에 유 노대와 만해거사의 얼굴이 딱딱하게 굳어졌다.

그때 장예추가 앞으로 나오며 말했다.

"이제부터는 제가 선두에 서겠습니다. 함정이라면 제가 조금은 알고 있으니까요."

확실히 장예추는 어린 시절 함정을 만들어 호랑이도 잡아 본 경험이 있는, 나름대로 노련한 사냥꾼이었던 적이 있었다.

두 노인이 말없이 한 걸음 뒤로 물러나자, 장예추는 곧 일행의 선두에 서서 예리한 눈빛으로 사방을 세밀하게 관찰하며 천천히 걷기 시작했다.

오십여 걸음 정도 걷던 장예추가 갑자기 걸음을 멈췄다. 그러고는 바로 앞 지면을 향해 일장을 날렸다. 푹! 하고 지면이 꺼지면서 그 밑으로 크게 입을 벌린 함정이 모습을 드러냈다.

대략 삼사 장 깊이로 판 함정 바닥에는 끝을 뾰족하게 갈아 둔 대나무들이 빼곡하게 들어서 있었다. 무심코 발을 내디뎠다면 그야말로 아무것도 모른 채 대나무 꼬챙이가 되어 목숨을 잃었을 것이다.

장예추는 함정을 피해 천천히 걸음을 움직였다.

"으음."

그 뒤를 따르는 노인들의 얼굴이 더욱 굳어졌다.

갈수록 함정은 교묘하고 험악하며 잔악해졌다. 좌우에서 독을 바른 화살이 날아들었고, 머리 위에서는 커다란 그물이 떨어지기도 했다.

보이지 않을 정도로, 특히 이렇게 어두운 밤이라면 전혀 감지할 수 없을 정도로 미세한 우모침(牛毛針)과 가시 돋친 열매처럼 생긴 철질려(鐵蒺藜)들이 침입자의 발바닥을 노리고 땅에 뿌려져 있기도 했다.

장예추의 걸음은 갈수록 느려졌다. 가뜩이나 시야가 어두운 상황에서 우모침이나 철질려 같은 걸 찾아내는 일은 절대 쉽지 않았다.

사람들은 누구 하나 입을 열지 않은 채 가만히 장예추의 움직임을 주시하고 그의 손짓과 말에 따라 움직였다. 심지어 설벽린조차 장예추의 집중력을 방해하지 않기 위하여 한 마디도 투덜거리지 않았다.

그렇게 모두 아홉 개의 함정을 지나서 숲을 지나 산등성이에 오르자, 사방이 탁 트인 가운데 넓은 공터가 보였다. 유 노대가 말한 모옥(茅屋)도 어둠 저편에 희미하게 모습을 드러냈다.

주변을 둘러봐도 더는 함정이 없는 듯했다.

"이놈의 늙은이, 만나기만 해 봐라!"

만해거사가 주먹을 불끈 쥐며 소리쳤다. 유 노대는 굳은 낯으로 말했다.

"참게. 뭔가 사정이 있을 것이야."

"사정은 무슨 얼어 죽을 사정."

만해거사는 화를 가라앉히지 않았다.

"우리나 되니 저 무시무시한 함정들을 손쉽게 빠져나왔지, 일반 뱃사공이나 어부들이라면 애당초 통나무 때 모두 목숨을 잃었을 게야."

"으음."

유 노대는 변론할 말이 떠오르지 않는 듯 얕은 신음을 흘릴 뿐 말을 하지 않았다.

"어쨌든 가보죠. 만나서 본인에게 이야기를 들어 보는 게 가장 좋은 방법입니다."

강만리가 중재하듯 나서며 앞으로 걸어 나갔다.

그때, 장예추가 서둘러 그의 앞을 막으며 말했다.

"제가 앞장서겠습니다."

"음? 아직도 함정이 있을 거라고 생각하나?"

"귀영신의라는 자를 만나기 전까지는 알 수 없는 일입니다."

강만리는 그도 그럴 법하다고 생각하고는 뒤로 물러났다. 장예추는 조심스러운 발걸음으로 모옥을 향해 걸어

나갔다. 사람들은 입을 다문 채 그 뒤를 따랐다.

장예추는 이윽고 얕은 울타리로 둘러쳐진 공터 입구에 당도했다. 낯선 기척에 깬 듯 닭과 오리들이 소란을 부렸다. 돼지들이 꿀꿀거리는 소리까지 들려왔다. 그러나 마치 빈집처럼 모옥에서는 아무런 반응도 없었다.

"이보게, 유동! 날세, 유 늙은이!"

공터 입구에서 유 노대가 소리쳐 부르며 사립문을 열고 안으로 들어서려 했다. 일순 그는 사립문을 열던 손가락 끝에 날카로운 통증을 느끼고 황급히 손을 뗐다.

"앗, 따가워."

유 노대는 깜짝 놀라며 손가락을 바라보았다. 가시가 박힌 듯한 방울의 피가 흘러나왔다. 별거 아니다 싶은 순간, 이내 손가락이 에이고 썰리는 듯한 통증이 급격하게 밀려들었다. 그의 몸이 벌벌 떨리기 시작했다.

"뭔가?"

뒤늦게 만해거사가 깜짝 놀라 다가와 그의 손가락을 살펴보더니, 딱딱하게 굳은 얼굴을 하고서 황급히 옷자락을 찢어 유 노대의 손가락을 동여맸다.

그러고는 품에서 약병 하나를 꺼내 열고는 새하얀 환단 한 알을 유 노대에게 건네며 말했다.

"해독약일세. 꿀꺽 삼키게."

유 노대는 아무 말 없이 알약을 삼켰다. 장예추도 다가와 그에게 환단 한 알을 내밀며 말했다.

"당문의 해독약입니다."

유 노대는 웃으며 말했다.

"만해가 준 약을 먹었네."

"아니, 이것도 마저 먹게. 어쨌든 독에 관해서라면 나보다 당문이 더 나으니까."

만해거사가 엄중한 표정을 지으며 말하자 유 노대는 어쩔 수 없다는 듯이 장예추의 환단까지 복용했다.

그러고는 곧장 자리에 주저앉아 내공을 운기하기 시작했다. 손가락 끝을 타고서 자신의 체내로 들어온 독을 몰아내기 위함이었다.

"이게 마지막 함정이었나 봅니다."

장예추가 아쉬운 듯 입을 열었다.

"함정을 모두 통과했다고 안심하고 긴장을 푸는 그 순간을 노린, 치밀하고 악독한 수법입니다."

그 말에 초조한 눈빛으로 유 노대를 지켜보던 만해거사가 고개를 홱 돌려 모욕을 노려보며 소리쳤다.

"나 독응일세! 대머리 독응 말이네! 자네 때문에 지금 유 늙은이가 죽어 가는 중이네! 그런데도 코빼기 하나 내비치지 않는다니, 이대로 우리와 인연을 끊을 작정인가?"

거친 목소리가 만해거사의 입 밖으로 튀어나와 어두운 공터 저편까지 울려 퍼졌다.

그 악을 쓰듯 외친 목소리에 실린 절절함 때문이었을까. 아무 기척도 없던 모옥에서 반응이 있었다.

끼이익.

희미한 소리와 함께 문이 열리고 조그만 신형 하나가 우물쭈물하며 밖으로 나왔다.

소년처럼 자그마한 체구를 지닌 초유동이었던지라, 만해거사는 그 조그만 신형을 보자마자 다시 소리쳤다.

"뭐 하는가? 얼른 해독약을 가지고 와서 유 늙은이를 구하지 않고!"

어둠 속에 가려진 조그만 신형은 여전히 우물거리다가 이윽고 결정을 내린 듯 천천히, 그리고 조심스럽게 사립문 쪽으로 걸어왔다.

만해거사는 그 굼뜬 동작을 보고 씩씩거리며 소리쳤다.

"아니, 이 늙은이가 정말! 얼른 뛰어오지 않고…… 으응? 어라? 너, 너는……."

조심스레 다가오던 조그만 신형이 등불에 그 모습을 드러낸 순간, 만해거사는 놀라고 당황하여 허둥거리며 어찌할 바를 몰라 했다.

당연히 초유동이라고 생각했던 그 조그만 체구의 신형은 의외로 귀엽고 깜찍하게 생긴 미소녀(美少女)였던 것이다.

3. 미소녀(美少女)

열서너 살 정도 되었을까.

언뜻 담호의 또래로 보이는 소녀는 살짝 겁에 질린 듯한 커다란 눈동자로 만해거사와 강만리들을 둘러보았다.

만해거사는 이 뜻밖의 상황에 어쩔 줄 몰라 강만리를 돌아보며 도움을 청했다.

강만리는 헛기침을 한 후 차분한 어조로 말했다.

"우리는 귀영신의 초 어르신을 찾아온 옛 동료들이라네. 절대로 나쁜 마음을 가지고 온 게 아니니, 초 어르신께 가서 유 노대와 독웅의선이 왔다고 전해 주기 바라네."

소녀는 잠시 강만리와 유 노대, 만해거사를 바라보다가 천천히 입을 열었다.

"해독약은 드릴 터이니 그만 물러가세요. 사부님은 아무도 만나지 않으시겠다고 하셨어요."

꾀꼬리의 소리처럼 맑고 아름다운 음색을 지닌 목소리가 그녀의 입에서 흘러나왔다.

'응?'

'사부?'

막 운기조식을 끝낸 유 노대와 만해거사는 놀라 서로를 돌아보았다. 초유동이 제자를, 그것도 이제 갓 열서너 살 정도 된 어린 계집애를 제자로 두다니, 쉽게 믿을 수가 없는 일이었다.

그래서 만해거사가 앞으로 한 걸음 나섰다. 소녀는 움찔 놀라며 두 걸음 물러났다. 마치 사립문을 사이에 두고 노인과 소녀가 대치하는 듯한 형국이었다.

"너무 겁먹지 마라."

만해거사는 먼저 소녀를 안심시켰다.

"내 얼굴을 보면 잘 알 수 있을 텐데. 내가 얼마나 인자하고 푸근하고 온화한 사람인지 말이다."

나름대로 우스갯소리라고 말한 건데 소녀는 전혀 반응하지 않았다. 만해거사는 살짝 민망한 기색을 떠올리며 헛기침을 했다.

"허험. 그건 그렇고…… 초 늙은이가 언제 제자를 두었을꼬?"

"아실 필요 없으세요."

소녀는 당찬 목소리로 말했다.

"어쨌든 큰 봉변을 당하실 생각이 아니라면 이대로 떠나세요. 해독약은 여기 있어요."

소녀는 품에서 기름종이로 싼 환단을 꺼내 던졌다. 만해거사가 엉겁결에 받아 들었을 때, 잠자코 모옥을 살피고 있던 강만리가 불쑥 입을 열었다.

"초 어르신께서 병환(病患) 중이신가 보구나."

일순 소녀가 움찔거렸다. 강만리는 소녀의 얼굴을 바라보며 말을 이었다.

"어쩌면 누군가에 의해 중상을 입은 건지도 모르고."

소녀의 커다란 눈동자가 가볍게 흔들렸다. 강만리는 내심 고개를 끄덕이며 계속해서 말했다.

"여기 계시는 분은 독응의선이라고 한다. 귀영신의 초 어르신과 더불어 전설적인 의생이시다. 모르기는 몰라도 어지간한 병이나 부상은 다 고치실 수 있을 게다."

소녀의 눈빛이 파르르 떨렸다. 하지만 그녀는 곧 똑 부러지게 말했다.

"그러신 분이 해독약은 왜 찾으셨대요?"

"허험."

만해거사가 헛기침을 했다. 강만리는 당연하다는 표정을 지으며 말했다.

"물론 이분도 해독약을 상비하고 계시지. 그리고 또 가지고 있던 약을 복용케 하기도 했고. 하지만 범용으로 사용되는 해독약과 전문적으로 그 중독 증상만 해독하는 약은 근본적으로 다르니까. 그러니 한시라도 빨리 치유하려면 역시 초 어르신의 약이 더 낫겠지."

강만리는 소녀가 입을 열 틈도 주지 않고 계속해서 말을 이어 나갔다.

"약 달이는 냄새가 나지 않는 걸 보면 꽤 오래전에 이미 치료를 단념한 모양이구나. 아니면 탕약이 필요하지 않은 상처를 입었거나. 부상이라면 이 어르신의 전문 분야다. 부러진 뼈를 붙이고 찢어진 상처를 봉합하고 그런 건 외려 초 어르신보다 뛰어나다고 할 수 있단다."

"허험."

이번에도 만해거사가 헛기침을 했다. 조금 전과는 사뭇 다른 분위기의 헛기침이었다.

"삼정활혼단으로도 고칠 수 없는 병이나 부상이라면 더 이상 자네 힘으로는 사부를 어찌할 수 없을 것이야. 그러니 훗날 후회할 일이 생기지 않도록, 우리를 안으로 들여보내 초 어르신의 상세를 살피게 하는 게 좋을 것 같은데. 어떤가, 자네 생각은?"

소녀는 말없이 강만리와 사람들을 둘러보았다. 그녀의 표정을 보아 하건대, 강만리의 이야기에 대해 곰곰이 생각하는 눈치였다.

하지만 그녀는 곧 고개를 저으며 거절했다.

"미안해요. 믿을 수 없어요, 어른들의 말은. 그만 돌아가 주세요."

강만리가 속으로 한숨을 내쉬었다. 설벽린이 발끈하여 한마디 하려고 입을 열었다.

그때였다.

어른들의 뒤쪽에서 가만히 지켜보고만 있던 담호가 불

쑥 앞으로 걸어 나오며 말했다.

"어른들의 말을 믿지 못한다면 내 말은 믿을 수 있겠네. 나는 아직 어른이 아니니까."

소녀는 어른들 뒤에서 자신의 또래인 담호가 갑자기 튀어나오자, 미처 그의 존재를 인식하지 못하고 있었는지 깜짝 놀란 표정을 지었다.

그러나 이내 그녀는 뾰로통한 표정을 지으며 말했다.

"언제 보았다고 반말이세요?"

"괜찮아. 너도 말을 놔."

"도대체 몇 살인데요?"

"열넷."

담호의 말에 소녀는 순간적으로 머뭇거리다가 팔짱을 끼며 단호한 어조로 말했다.

"나는 열다섯 살이니 내가 누나네요."

담호는 활짝 웃으며 말했다.

"아, 미안. 앞으로 누나라고 부를게요."

소녀의 얼굴이 살짝 붉어졌다.

두 소년소녀의 풋풋한 대화에 설벽린은 어이가 없어 '지금 그렇게 장난하고 있을 때냐?'고 한마디 하려 했다.

하지만 이내 강만리가 그의 팔을 잡아채며 고개를 내저었다. 입 열지 말고 가만히 지켜보기나 하라는 표정이었다.

설벽린은 속으로 한숨을 내쉬고 한 걸음 뒤로 물러났다.

담호가 계속해서 말했다.

"그럼 나는 누나보다 동생이니까 내 말은 믿어 줄 수 있겠네. 우리 강 숙부나 만해 할아버지가 하시는 말씀에는 한 점 거짓이 없어. 사실이야."

소녀는 얼굴을 붉힌 채 말을 받았다.

"그걸 어떻게 믿니? 너도 거짓말을 할 수 있잖아?"

"그럼 누나는 어른들의 말도 못 믿고, 내 말도 믿지 못하고…… 세상 사람 누구의 말도 믿지 못한다는 거네."

"그, 그건……."

"무엇보다 내가 거짓말하는 걸 우리 아빠, 엄마가 제일 싫어하거든. 지금 내가 하는 말이 거짓말이라면 벌써 엉덩이 몇 대는 맞았을 거야."

"물론 그렇겠지. 네 아빠, 엄마가 지금 이 자리에 계시다면 말이야."

"응. 여기 계셔. 이분들이 내 아빠, 엄마야."

담호는 뒤쪽에 서 있던 담우천과 나찰염요를 가리키며 말했다.

담우천은 여전히 무표정한 얼굴이었으나 나찰염요는 왠지 기쁜 듯한 얼굴로 담호를 바라보며 부드럽게 미소를 지었다.

소녀는 놀란 듯 눈을 휘둥그레 뜨며 담우천과 나찰염요

를 바라보았고, 담호는 씩씩하게 말을 이었다.

"나는 지금껏 이 두 분 앞에서 단 한 번도 거짓말을 한 적이 없어. 누나도 그렇지 않아?"

일순 소녀의 눈가에 희미한 슬픔의 빛이 스며들었다. 하지만 그녀는 곧 태연한 표정을 지으며 말했다.

"부자지간(父子之間)이라고 하기에는 그리 닮지 않은 것 같은데?"

"응. 나보다 내 동생이 아버지와 닮았거든. 나는 엄마를 많이 닮았고."

소녀는 나찰염요를 쳐다보았다. 아름답고 요염하고 우아한 그녀의 모습에 소녀는 왠지 모르게 위축이 되어 얼른 고개를 돌렸다. 그러고는 담호를 돌아보며 다짐받듯 물었다.

"정말 거짓말이 아니지?"

담호는 힘차게 고개를 끄덕이며 대답했다.

"응, 정말 진짜야."

소녀는 여전히 망설이는 듯하다가 결국 고개를 숙이며 말했다.

"그럼 다들 들어오세요."

그녀가 사립문을 열었다.

만해거사가 제일 먼저 들어서려다가 문득 담호의 머리를 쓰다듬으며 입을 벙긋거렸다.

잘했다.

아마도 그렇게 말하는 입모양인 듯싶었다.

그 뒤를 이어 유 노대와 강만리가 사립문 안으로 들어섰다. 그들 또한 한 번씩 담호의 머리를 쓰다듬어 주었다. 설벽린도 마지 못한 얼굴로 담호의 어깨를 툭툭 치고 들어갔다.

"잘했다."

담우천은 담호의 곁을 지나치면서 머리를 쓰다듬는 대신 나지막한 목소리로 말했고, 나찰염요는 와락 담호를 끌어안으며 소곤거렸다.

"어서 들어가자꾸나, 내 아들."

담호의 귓불이 붉게 물들었다.

소녀는 조금 떨어진 곳에서 그런 담호와 나찰염요의 모습을 물끄러미 지켜보고 있었다.

9장.
화화공자(花花公子)

"거짓말은 아니시겠죠?"
"나처럼 뚱뚱하고 못생긴 사람들은 거짓말을 잘하지 못하는 법이다.
평소 해 본 버릇이 없어서 얼굴에 티가 나거든."

1. 못된 어른들

"이 꼬마 화화공자(花花公子) 같으니라고."

설벽린이 다가와 귀엣말로 그렇게 소곤거리고는 담호가 반응하기도 전에 성큼성큼 앞으로 걸어 나갔다.

담호는 어리둥절한 얼굴로 설벽린의 뒷모습을 쳐다보았다.

'화화공자?'

화화공자는 바람둥이를 뜻하는 말이었다.

'내가 왜 화화공자라는 걸까?'

담호가 그렇게 고개를 갸웃거릴 때 앞서 가던 나찰염요가 그를 돌아보며 손을 흔들었다.

"어서 오렴, 아들."

담호는 황급히 그녀를 따라붙었다. 나찰염요는 부드럽게 웃으며 담호의 손을 잡고 걷기 시작했다.

유 노대와 만해거사는 이미 마당을 가로질러 모옥 앞에 이르렀다. 만해거사와 장예추가 준 해독약의 효과가 컸는지, 아니면 소녀가 건네준 해독약 덕분인지 유 노대는 벌써 회복한 듯 보였다.

담호는 고개를 갸웃거리며 생각했다.

'그렇게 효과가 뛰어나다면 저 누나의 해독약이 화 숙부에게도 효과를 볼 수 있는 게 아닐까?'

그가 그런 생각을 하는 동안 소녀는 먼저 모옥으로 들어가 불을 밝힌 다음 다시 고개를 내밀고 말했다.

"들어오세요."

사람들은 천천히 모옥 안으로 들어섰다. 나찰염요와 함께 모옥으로 들어서던 담호는 저도 모르게 멈칫거렸다. 왠지 죽음의 냄새가 나는 것 같았다.

"왜 그러니?"

나찰염요가 한없이 상냥한 어조로 물었다.

"아니에요, 아무것도."

담호는 고개를 저으며 황급히 그녀와 함께 모옥으로 들어섰다.

모옥의 방은 단출했다. 한 평 반 정도 되는 크기에 침상 하나, 옷장 하나가 전부였다. 강만리 일행이 모두 방으로 들어서자 움직이기 힘들 정도로 꽉 찼다.

"우리는 나가 있는 게 좋을 것 같군."

담우천의 말에 나찰염요와 담호도 함께 밖으로 나왔다. 장예추도 안 나오려고 버티는 설벽린의 소매를 잡고 모옥 밖으로 끌어냈다.

"봤냐?"

설벽린이 장예추에게 묻자 장예추는 고개를 끄덕이며 대답했다.

"네."

"설마 죽은 건 아니겠지? 이미 죽은 시체를 두고 살아 있다고 착각한 채 봉양하는 건 아니겠지?"

"살아 있습니다."

"응? 그걸 어찌 알아?"

"미미하게나마 호흡이 느껴졌으니까요."

장예추는 모옥의 벽에 등을 기대며 말했다.

"조금 전 강 형님이 물어보셨잖아요? 초 어르신께서 병환 중이냐고 말이에요. 강 형님은 그때 천조감응진력을 발휘하여 모옥 안의 희미한 호흡을 감지하셨던 겁니다."

"으음."

설벽린은 머리를 긁적이며 담우천을 힐끗 바라보았다. 곁에 서서 그들의 대화를 듣고 있던 그의 담담한 표정은 변함이 없었다. 그 역시 이미 알고 있었던 것이리라.

'젠장.'

설벽린은 저도 모르게 입술을 깨물었다.

다른 사람들은 다 알고 있는데 오직 그만 모르고 있었다. 혼자 바보가 된 꼴이다. 분하다 못해 부끄럽기까지 했다.

설벽린이 홀로 그런 감정을 추스르고 있을 때, 방 안에 있는 사람들 주변으로는 무거운 공기가 흘렀다. 강만리와 유 노대, 만해거사는 조그만 침상을 둘러싸고, 그 침상에 누워 있는 이를 가만히 내려다보고 있었다.

일흔이 넘어 보이는 나이에 소년처럼 자그마한, 만해거사가 소녀를 두고 착각할 정도로 왜소한 노인이 앙상한 몰골로 누워 있었다.

일흔 살 나이에도 홍안(紅顔)을 자랑하던 노인의 얼굴은 죽음의 그림자처럼 회색빛으로 물들어 있었다. 소년처럼 해맑게 웃던 노인의 입에서는 언제 끊어질지 모르는 미미한 숨결이 아주 희미하게 새어 나오고 있었다.

언제 죽을지 모르는, 아니 어쩌면 지금 곧 죽을 것 같은 이 노인이 바로 귀영신의 초유동이었다.

"으음."

강만리는 저도 모르게 신음을 흘리며 엉덩이를 긁적거렸다. 의술에 대해선 문외한인 그가 보더라도 상당히 중

한 상태라는 걸 쉽게 알 수 있었다.

'그래도 만해 사부라면······.'

강만리는 그런 생각을 하면서 만해거사를 돌아보았다. 만해거사는 물기 축축하게 젖은 눈으로 초유동을 내려다보는 중이었다.

문득 유 노대가 침상 앞에 천천히 무릎을 꿇었다. 그러고는 떨리는 두 손으로 초유동의 손을 꼭 잡으며 입을 열었다.

"날세, 오뚝이[부도옹:不倒翁]. 오래간만에 내가 왔는데 그렇게 자고만 있을 겐가? 어서 눈을 떠 보게나, 응?"

하지만 초유동은 죽은 듯 그대로 누워 있었다. 유 노대는 사시나무처럼 떨리는 목소리로 말을 이었다.

"마지막으로 본 게 삼 년 전이었던가? 그때만 하더라도 나보다 훨씬 더 정정했잖은가? 싸우고 화를 내며 떠났던 내가 보기 싫어서 그렇게 눈을 꼭 감고 있는 겐가? 제발 좀 눈을 떠 보게, 친구."

그러나 초유동은 여전히 꼼짝하지 않았다.

그때 곁에서 지켜보고 있던 소녀가 조심스레 입을 열었다.

"그렇게 잠에서 깨어나지 않게 된 게 벌써 한 달이 넘었어요."

"으음."

"허어."

만해거사와 강만리가 동시에 신음을 흘렸다. 소녀는 계속해서 말을 이어 나갔다.

"그래도 한 달 전까지는 가끔 눈을 떠서 저와 이야기도 나누시고 농담도 하셨어요. 사부께서는 농담을 정말 좋아하셨거든요."

"잘 알지."

만해거사가 고개를 끄덕이며 중얼거렸다.

"저 녀석, 아주 재미없는 농담만 골라서 할 줄 아는 재주를 지녔으니까. 정말 곤욕이었지, 농담을 들어 주는 게."

"아니거든요. 사부의 농담이 얼마나 재미있는데요."

소녀가 발끈하자 만해거사는 그녀를 돌아보며 물었다.

"그런데 말이다. 초 늙은이가 제자를 두었다는 건 금시초문이구나."

소녀는 팔짱을 끼며 말했다.

"그야 할아버지가 우리 사부와 생각보다 가깝지 않으셔서 그런 거죠. 제가 제자가 된 지도 벌써 삼 년이 지났거든요."

듣고 있던 강만리가 머리를 굴렸다.

'유 사부가 초유동을 마지막으로 만났던 게 이삼 년은 넘었다고 했으니 얼추 들어맞는 것 같구나.'

강만리는 잠시 생각하다가 엉덩이를 긁적이며 입을 열었다.

"그러고 보니 경황이 없어서 아직 인사조차 제대로 나누지 못했네. 나는 사천 성도부의 강만리라고 한다. 이쪽 두 어르신은 만해거사, 유 노대라고 부르면 되고…… 밖에서 기다리는 사람들까지 모두 한 가족이라고 생각하면 될 게다."

소녀는 고개를 갸웃거리며 물었다.

"만해거사라니, 독응의선이라고 하지 않았나요?"

"아, 초 어르신처럼 은거하면서 독응의선이라는 별호를 버리고 새로 만해거사라고 자칭하셨지."

"은거하셨다면서 다시 강호에 나오신 건가요?"

'거참 질문도 많은 아이네.'

강만리는 그렇게 생각하면서도 순순히 대답했다.

"우리가 도움을 요청했거든."

일순 소녀의 눈빛이 반짝였다.

"그럼 우리 사부에게도 도움을 요청하러 오신 건가요? 사부께 은거를 깨고 그 비열한 어른들이 있는 강호로 나와 달라고 부탁하려고요?"

"으음."

강만리는 낮은 신음을 흘렸다.

아닌 게 아니라 강만리들은 초유동을 강호로 데리고 올 생각이었다. 그런데 소녀의 말을 듣고 보니 확실히 염치가 없는 부탁을 하러 온 게 되었다.

'그나저나 강호인들에게 상당한 악감정을 가지고 있군 그래.'

강만리는 화제를 돌렸다.

"초 어르신이 저리 되신 게 그 비열한 어른들의 짓인가?"

"맞아요. 이게 다 그 못된 어른들 때문이라고요."

갑자기 소녀의 어조가 높아졌다.

"그들이 아니었으면 이렇게까지 상태가 악화되진 않으셨을 테니까요!"

강만리는 나지막한 소리로 물었다.

"그 못된 어른들이 누군데?"

"태극천맹과 오대가문 사람들이요!"

소녀는 억지로 눈물을 참으며 말했다.

"우리 사부는 그들 때문에 이렇게 되셨어요."

강만리는 속으로 한숨을 쉬고는 다시 잔잔한 목소리로 말했다.

"어찌 된 사정인지 천천히 설명해 줄 수 있겠니? 만해 사부가 초 어르신의 상세를 살펴볼 동안에 말이다."

소녀는 잘강잘강 입술을 씹으며 감정을 추스른 다음 천천히 입을 열었다.

2. 초목아(草穆娥)

소녀는 천애고아였다. 이름도 나이도 제대로 모른 채 뒷골목의 쓰레기를 뒤져서 겨우 먹고사는 거지였다.

어느 날, 장을 보러 백귀도에서 나와 인근 조그만 마을에 들린 초유동은 열 살 정도밖에 되어 보이지 않는 어린 계집아이가 시장 바닥에 떨어진 것들을 주워 먹는 걸 보게 되었다.

유 노대를 매몰차게 내쫓은 후 마음이 약해진 초유동은 저도 모르게 그녀를 백귀도로 데리고 와 제자로 삼았다.

"너의 이름은 목아(穆娥). 성은 내 성을 따라 초(草)라고 하자꾸나."

초유동은 어린 계집에게 성과 이름을 주고 먹을 것을 주고 잠자리를 주었다. 또한 글을 가르쳤고 무공의 기본을 가르쳤으며 의술과 독술의 기초를 닦게 했다.

초유동은 그녀를 자신의 손녀처럼 아끼고 정성을 다해 그녀의 성장을 도왔다. 그리하여 초유동이 늘그막에 얻은 제자는 그의 따뜻한 보살핌 속에서 깜찍하고 귀엽고 예쁘게 성장하기 시작했다.

그녀가 하루가 다르게 성장하는 걸 지켜보는 건 이제 초유동의 낙이자 삶이 되었다. 행복한 시간이었다. 즐겁고 기쁘고 보람찬 시간이기도 했다.

하지만 그 행복은 그리 오래가지 않았다. 일 년 전, 초유동은 갑자기 쓰러져 일어나지 못했다. 말이 어눌해지고 동공이 풀리고 손발이 마비되어 꼼짝하지 못했다.

이른바 풍병(風病)이었다. 천하의 신의(神醫)가 풍병에 걸리다니, 참으로 묘한 일이라 할 수 있었다.

초목아는 엉엉 울면서 그를 침상에 옮겼다. 그때부터 그녀의 정성스러운 수발이 시작되었다. 백귀도 산을 뒤져서 몸에 좋은 약초를 캐 오기도 하고, 귀하고 비싼 물고기를 잡아서 삶아 먹이기도 했다.

그녀의 지극정성 덕분이었을까. 초유동의 풍증(風症)이 조금씩 차도를 보였다.

초유동은 누워서 움직이지 못하는 상황에서도 초목아를 위해 유쾌하고 웃고 익살스러운 농을 하기도 했다.

그는 삼정활혼단이라면 풍병 따위 단숨에 나을 수 있다고 장담하면서 초목아에게 그 환단의 재료들과 제조 방법을 설명했다.

초목아가 온갖 고생을 하면서 재료를 모았을 때였다. 백귀도에 불청객이 연달아 찾아왔다.

처음 찾아온 이들은 태극천맹 사람들이었다. 그들은 강만리들처럼 초유동을 설득하여 태극천맹으로 데리고 가기 위해 백귀도를 찾았으나, 풍병에 걸린 초유동을 보고는 고개를 저으며 포기했다.

"이왕 이렇게 된 거 초 어르신의 의술과 무공이 절전 (絕傳)되지 않도록 하는 게 최선일 것 같군."

그렇게 결론을 내린 그들은 모옥을 샅샅이 뒤져서 초유 동이 그동안 모아 왔던 의술서와 초목아를 위해 집필 중 이었던 그의 저서, 그리고 온갖 약과 재료들을 송두리째 들고 백귀도를 떠났다.

초목아는 끝까지 그들의 앞을 가로막았지만 겨우 열두 어 살 계집아이가 어찌 태극천맹 사람들과 맞설 수 있겠 는가.

"널 죽이지 않는 건 초 어르신의 수발 때문이다. 모쪼 록 초 어르신이 돌아가실 때까지 잘 모시도록 하라."

태극천맹 사람들은 은자 몇 냥을 던져 주며 사라졌다. 초목아는 엉엉 울면서도 포기하지 않고 다시 삼정활혼단 의 재료들을 모으기 시작했다.

얼마 지나지 않아 오대가문의 건곤가 사람들이 백귀도 에 들어섰다. 그들은 풍병에 걸린 초유동을 보고는 아무 런 말도 없이 곧바로 모옥을 뒤지기 시작했다.

하지만 이미 대부분의 약과 의술서들은 태극천맹 사람 들이 모두 가지고 간 후였다. 결국 아무것도 찾지 못한 건곤가 사람들은 초목아가 애써 모으고 있던 약재에 눈 독을 들였다.

"약재들의 종류를 보아하니 삼정활혼단의 재료인 것

같습니다."

"그럼 이것으로 삼정활혼단을 만들 수 있다는 말이오?"

"재료만 있다고 만들 수 있는 건 아닙니다. 제조 방법을 알아야 하는데…… 초 노인이 저리 되었으니."

"어쨌든 이거라도 가지고 갑시다. 그리고 이런저런 방법을 연구하여 만들어 보시오."

"그게 말처럼 쉬운 일이……."

"명령이오."

건곤가 사람들은 초목아는 신경 쓰지 않고 그렇게 대화를 나누었다.

건곤가와 태극천맹의 사람들 모두 설마 초목아가 초유동의 제자일 거라고는 상상조차 하지 않았다. 그저 초유동이 말년에 제 수발을 위해서 어디선가 데리고 온 하녀 정도로만 여겼을 뿐이었다.

건곤가 사람들이 떠난 후, 초목아는 오솔길 입구에 침입자사(侵入者死)라는 경고의 문구를 적은 팻말을 비치했다. 그리고 하나씩 함정을 파고 암기를 설치했다. 홀로 독물도 만들고 해독약도 준비했다.

원래 모옥 뒤편의 창고에는 산짐승들을 잡기 위한 기구들과 암기들이 있었는데, 다행인지 불행인지 태극천맹이나 건곤가 사람들은 그것들에는 전혀 눈길도 주지 않았다.

움직이지 못하는 상황에서 태극천맹과 건곤가 사람들의 만행을 모두 지켜본 초유동은 상당한 심적 타격을 받은 듯하루하루 기력을 잃고 초췌해져 갔다.

 그런 와중에서도 초유동은 억지로 기력을 짜내어 자신의 모든 것을 초목아에게 전해 주기 시작했다. 자신의 모든 무공 구결(口訣)과 의학지식을 통째로 외우게 했다.

 만약 그가 내공을 운기할 수만 있었다면, 자신의 내공까지 모두 그녀에게 전해 주었을 것이다.

 그렇게 반년이라는 세월이 흐르고 초목아의 함정이 완성되었을 때, 초유동은 더 이상 눈을 뜨지 않았다. 살아 있어도 살아 있는 게 아닌 상태가 된 것이다.

 그게 한 달 전의 일이었다.

                     *   *   *

 "그 비열한 어른들이 두 번이나 삼정활혼단의 재료를 훔쳐 가지 않았더라면, 지금쯤 사부는 완쾌한 몸으로 여러분들을 만나고 있었을 거예요."

 초목아는 끝까지 울음을 참은 채 그렇게 말을 맺었다.

 "으음."

 강만리는 재차 신음을 흘리며 엉덩이를 긁적거렸다. 초유동의 상세를 살피면서 초목아의 이야기에 귀를 기울이던 만해거사는 한숨을 내쉬며 고개를 저었고, 초유동의 손을 꽉 쥐고 있던 유 노대는 이를 악물며 신음을 흘렸다.

"참으로 못된 자들이다."

유 노대는 울먹거리는 목소리로 중얼거렸다.

"물에 빠진 사람을 구해 줄 생각은 하지 않고 보따리를 훔쳐 가다니, 어찌 사람의 탈을 쓰고 그런 짓을 할 수 있단 말이더냐?"

그때 만해거사가 천천히 몸을 일으켰다. 강만리가 서둘러 물었다.

"어떻습니까?"

만해거사는 고개를 저었다.

"너무 늦었네. 저 아이의 말대로 반년 전 삼정활혼단을 복용했다면 몰라도, 지금은 대라신선이 와도 어쩔 도리가 없네."

"으음."

강만리는 다시 신음을 흘렸다. 초목아는 애써 울음을 참으며 입을 열었다.

"아뇨. 반드시 살릴 수 있거든요. 어떡하든 무슨 방법을 사용하든 제가 반드시 살려 낼 거거든요."

만해거사는 물끄러미 초목아를 내려다보다가 천천히 고개를 끄덕이며 말했다.

"그래, 네 말이 맞다. 내 생각이 너무 짧았다. 내가 너무 빨리 포기했구나. 그래, 우리가 반드시 살려 내자꾸나."

강만리가 조심스레 입을 열었다.

"추궁과혈이나 만해 사부의 금침술로도 안 되는 겁니까?"

"초기였다면 가능했을 것이야. 풍병이라는 게 기의 순환이 안 되고 혈이 막혀서 생기는 경우가 대부분이니까. 하지만 지금은 너무 늦었네. 풍병의 상태가 중증인 데다가 태극천맹과 건곤가의 행태에 큰 심적 타격까지 입어서 주화입마에 빠졌다고도 할 수 있거든."

"그렇군요. 하지만 뭔가 방법이 없을까요?"

만해거사는 강만리의 질문에 이맛살을 모으고 진지하게 생각하다가 겨우 입을 열었다.

"우선 삼정활혼단을 만들어 복용하게 해야겠지. 삼정활혼단은 초 늙은이가 스스로 약왕문의 귀한 보물이라고 할 정도로 그 효과가 뛰어나니까."

약왕문이라면 가히 전설적인 의문으로, 저 화타나 편작도 약왕문의 사람들이라고 전해져 내려왔다. 강호 무림에 관한 견문이 짧은 강만리조차 약왕문에 대한 명성을 익히 들어 알고 있었다.

"진짜 약왕문의 물건은 아닌가 보네요."

강만리의 말에 만해거사는 고개를 저으며 대답했다.

"글쎄. 확실한 건 모르지만 초 늙은이가 젊었을 적 우

연히 약왕문의 후예를 만나 삼정활혼단의 약방문(藥方
文)을 전수받았다고 하기는 했으니까."

"그럼 삼정활혼단만 있으면 사부가 완쾌되실 수 있나요?"

초목아가 눈을 반짝이며 끼어들었다. 만해거사는 재차
고개를 저으며 말했다.

"그건 아니다. 아무리 삼정활혼단이 기사회생의 영약
이라고는 하지만, 지금 초 늙은이의 상세는 이미 죽은 것
과 진배없으니까. 아, 그렇다고 울지는 마라. 내 최선을
다해서 초 늙은이를 치료해 볼 터이니."

초목아는 울상을 지으며 말했다.

"하지만 이제 이곳에는 더 이상 삼정활혼단의 재료가
없어요. 안 그래도 부족한 재료들이 많아서 몇 번이고 악
양부까지 가서 비싼 돈을 주고 사 왔는데, 그자들이 다
빼앗아 가는 바람에 이제는 구할 돈도 없어요."

그녀의 말에 강만리거 놀란 듯 물었다.

"악양부까지 다녀왔다고? 혼자서? 이 거센 물길을 헤
치고?"

초목아가 당연하지 않느냐는 투로 말했다.

"여긴 제 집인데요?"

"호오."

강만리는 엉덩이를 긁적거리며 머리를 굴리다가 문득
좋은 생각이 났는지 입을 열었다.

"그럼 이렇게 하자꾸나. 우리가 어떻게든 삼정활혼단의 재료를 모으고 또 만해 사부와 함께 최선을 다해 초 어르신을 살릴 방법을 찾겠다. 그러니 너는 우리와 함께 이곳 백귀도를 떠나자꾸나. 아, 물론 초 어르신도 함께 말이다."

"백귀도를요?"

초목아가 언뜻 망설이는 기색을 보이자 강만리는 서둘러 그녀를 설득했다.

"이곳의 환경은 초 어르신과 같은 중환자가 있기에는 너무나 열악하다. 건강할 때야 이보다 살기 좋은 곳이 없겠지만 무엇보다 필요한 약재를 구하기조차 힘드니까 말이지."

초목아는 저도 모르게 고개를 끄덕이고 있었다.

"우리는 북해로 가는 중이다. 그곳에는 신묘한 얼음 침상이 있어서 가만히 누워만 있어도 내공이 회복되고 병이 치유되며 건강을 찾을 수 있단다."

강만리는 진지한 얼굴로 말했다.

3. 한 가지만 약속해 주세요

일순 초목아의 눈이 커졌다.

"진짜 그런 얼음 침상이 있어요?"

"물론이다."

"거짓말은 아니시겠죠?"

"나처럼 뚱뚱하고 못생긴 사람들은 거짓말을 잘하지 못하는 법이다. 평소 해 본 버릇이 없어서 얼굴에 티가 나거든."

강만리는 제 얼굴을 초목아에게 들이대며 말했다.

"봐라. 내가 지금 거짓말을 하는 것 같은지."

초목아는 반사적으로 뒤로 한 걸음 물러나며 황급히 두 손을 저었다.

"그래요. 거짓말이 아니라고 쳐요."

"그건 또 무슨 괴이한 말이냐? 거짓말이 아니라고 치다니."

"어쨌든 삼정활혼단과 그 얼음 침상만 있으면 완쾌하실 수 있을까요?"

"글쎄. 그건 나도 모른다. 내가 알 수 있는 건, 우리가 최선을 다해 초 어르신을 치료할 거라는 사실뿐이다."

초목아는 입술을 깨물고 상념에 잠겼다.

강만리는 재촉하지 않았다. 강만리는 그녀가 신중하게 생각하여 결정을 내릴 수 있도록 시간을 주며 유 노대를 돌아보았다.

유 노대는 두 손으로 초유동의 손을 꼭 잡은 채 기도하

듯 눈을 감고 있었다. 안타까워 보일 정도로 애절한 절실함이 그의 얼굴에서 몸에서 흘러나오고 있었다.

얼마나 시간이 흘렀을까.

이윽고 초목아가 입을 열었다.

"한 가지만 약속해 주세요."

강만리가 그녀를 돌아보며 말했다.

"살릴 수 있다는 보증은 할 수 없다."

"그런 게 아니에요."

초목아는 입술을 삐죽이며 말을 이었다.

"제게 무공과 의술을 가르쳐 주세요."

"음?"

의외의 말에 강만리는 살짝 눈을 치켜떴다. 초목아는 살짝 상기된 눈빛으로 강만리와 유 노대, 만해거사를 돌아보며 계속해서 말을 이어 나갔다.

"그 못된 어른들에게 따끔한 맛을 보여 주고 싶거든요. 반드시 저와 사부에게 했던 행동을 후회하게 만들겠어요. 그러니까 여러분들이 저를 그렇게 키워 주셨으면 해요."

"물론이다."

강만리보다 만해거사가 먼저 승낙했다.

"내가 지닌 모든 의술을 전수해 주마. 네게 그럴 자질이 있다면 말이지."

"그건 걱정하지 않으셔도 될 것 같아요. 자질은 충분하다고 사부께서 말씀하셨으니까요."

"허어."

강만리는 초목아의 당찬 이야기에 눈을 동그랗게 뜨고는 잠시 생각하다가 입을 열었다.

"한 가지만 묻자. 의술이야 만해 사부가 독응의선이라는 걸 들어 알았을 터이니 그렇다 치더라도 무공은 누구에게 배우고 싶은 게냐?"

"가장 강한 분이요."

초목아는 생각하지도 않고 대답했다.

"우리 사부의 도움을 받기 위해 찾아오셨다고 했으니 사부보다 강한 분은 없겠지만 그래도 여러분들 중에 가장 강한 분께 무공을 배우고 싶어요."

"허어."

강만리는 다시 기막히다는 표정을 지었다. 만해거사가 분위기에 어울리지 않는 미소를 지으며 입을 열었다.

"그래. 우리들은 비록 네 사부보다는 못하지만 그래도 나름대로 강호에서는 한가락 하는 사람들이다. 네가 그 못된 놈들에게 따끔한 맛을 보여 줄 수 있을 정도로 성장시켜 주기에는 충분한 무위들을 지니고 있지. 그러니 너만 열심히 따라와 주면 되는 일이란다."

"그것도 걱정하지 마세요. 제가 가장 잘하는 일이 열심히 하는 거니까요."

"호오."

강만리는 저도 모르게 만해거사를 돌아보았다. 이렇게 당차고 자신만만한 아이일 줄 몰랐다는 표정이었다.

그러나 사실 초목아가 했던 이야기를 가만히 되새겨 보면 그녀가 얼마나 대단한 일을 해 왔는지 충분히 알 수 있었다.

이 외진 곳에서 병상에 누운 초유동의 수발을 들면서 삼정활혼단의 재료를 악착같이 모은 것도, 모았던 재료들은 태극천맹과 건곤가 사람들에게 연거푸 빼앗기면서도 절대 포기하지 않았던 것도, 강만리 일행이 적잖이 곤혹스러워했던 함정들을 홀로 만든 것도 모두 그녀가 혼자 해 온 일들이었다.

그녀의 자질이 어떤지를 확신할 수 없지만 누구보다 열심히, 포기하지 않고 끈질기게 노력한다는 건 인정할 수밖에 없는 일이었다.

"좋아, 그렇게 하자."

강만리는 말했다.

"태극천맹과 건곤가 사람들에게 따끔한 맛을 보여 줄 수 있는 무공과 의술을 가르쳐 줄 걸 약속하마."

초목아는 그제야 비로소 긴장이 풀린 듯 길게 한숨을 내쉬었다.

나름대로 영악하고 노련한 척하며 대화를 나누기는 했지만 그래도 어디까지나 겨우 열다섯 살 어린 소녀에 불과했다. 그 어린아이가 강만리와 만해거사 같은 어른들과 담판을 짓는다는 건 확실히 부담스러운 일이었을 것이다.

강만리는 그런 초목아의 부담감을 이해했다는 듯이 고개를 끄덕이며 말했다.

"너무 부담 갖지 마라. 담호가 많이 도와줄 테니까."

초목아는 눈빛을 반짝이며 물었다.

"담호라면 아까 그 아이의 이름인가요?"

"그래. 너보다 한 살 어린."

강만리의 말에 초목아는 갑자기 쑥스러워하는 표정을 짓더니 우물쭈물하다가 힘겹게 입을 열었다.

"그 아이에게는 말하지 마세요."

"뭘?"

"실은 저, 몇 살인지 정확하게 몰라요."

"으음."

강만리는 얕은 신음을 흘렸다.

하기야 조실부모(早失父母)하고 천애고아가 되어서 시장통 쓰레기를 주워 먹고 겨우 삶을 살아오던 어린아이가 어찌 제 나이를 정확하게 기억할 수 있겠는가.

초목아는 서둘러 말을 이었다.

"하지만 아직 열다섯은 아닌 건 확실한 것 같아요. 사부께서 그러셨거든요. 어쩌면 담호보다 더 어릴지도 몰라요."

"으음."

"말하지 마세요. 부탁이에요."

"그래, 말하지 않으마. 약속하지."

강만리는 고개를 끄덕이고는 곧바로 화제를 돌렸다.

"그럼 예서 꼭 가지고 가야 할 물건들을 챙기도록 하자. 우리는 초 어르신을 안전하게 모실 터이니."

초목아가 물었다.

"언제 떠나실 건데요?"

강만리는 조금은 부드러운 목소리로 말했다.

"지금 곧."

* * *

초목아가 필요한 물건들을 챙기는 동안 강만리는 밖으로 나와 사람들에게 설명했다.

물론 담우천과 나찰염요, 장예추는 모옥 안에서 어떤 대화가 오갔는지 알고 있었지만 설벽린과 담호는 눈을 동그랗게 뜬 채 강만리의 이야기를 들었다.

"어린 군악이로군그래."

이야기를 다 들은 후 설벽린이 고개를 끄덕이며 그렇게 말했다.

화군악 또한 제 이름도, 생년월일도, 부모도 모른 채 시장통에서 치열하게 살아온 과거가 있었다.

만약 우연히 야래향을 만나지 못했더라면 지금쯤 뒷골목의 불량배가 되어 있거나 혹은 누군가의 칼에 찔려 목숨을 잃었을지도 모르는 일이었다.

"어쨌든 곧 출발할 테니까, 먼저 조를 나눕시다. 군악에게 갈 사람들과 금해가를 기습할 사람들 이렇게 말입니다."

강만리의 제안에 장예추가 먼저 말했다.

"굳이 제가 군악에게 갈 필요는 없을 것 같습니다. 만해 사부가 계시니까요. 대복객잔의 위치와 군악을 숨겨둔 장소만 알려 드리고, 저는 금해가로 가겠습니다."

담우천이 뒤이어 말했다.

"나와 내자도 금해가로 가겠네."

설벽린이 머리를 긁적이며 말했다.

"저야 금해가에 가서 별로 할 일이 없을 테니까요. 만해 사부를 안전하게 모시는……."

"그것보다 초 어르신이나 확실히 책임져."

강만리의 말에 설벽린은 무안한 표정을 지으며 대꾸했다.

"알겠습니다. 등에 꽁꽁 묶고 다니겠습니다."

"저는 금해가로 갈게요."

담호가 눈빛을 반짝이며 말했다. 어른들이 일제히 말했다.

"안 돼."

"아니."

담호가 이내 시무룩한 표정을 지었다. 강만리가 차분한 어조로 말했다.

"너는 목아와 친하게 지내야 한다. 정들었던 곳을 떠나 낯선 사람들과 낯선 곳으로 홀로 여행을 떠나게 되었으니 얼마나 불안하고 걱정이 되겠느냐? 네가 그녀를 안심시켜 주도록 해라."

설벽린이 나지막한 소리로 중얼거렸다.

"화화 공자."

강만리가 눈을 부라렸다. 설벽린은 얼른 입을 다물고 모르는 체하는 표정을 지었다.

"알겠어요. 누나는 제가 돌볼게요."

담호의 말에 강만리가 미소 지으며 고개를 끄덕였다.

"그래, 네가 돌봐야지."

강만리는 사람들을 둘러보며 말을 이었다.

"그럼 목아가 나오는 대로 출발합시다. 자세한 계획은 배를 타고 가면서 이야기하기로 하죠."

때마침 초목아가 제 몸보다 큰 봇짐을 등에 멘 채 모옥에서 나왔다. 유 노대와 만해거사도 초유동을 이불에 둘둘 감은 채로 그 뒤를 따라 나왔다.

백귀도를 떠날 준비가 끝난 것이다.

강만리가 초목아에게 다가가며 물었다.

"네 배는 어디 있나?"

10장.
다시 악양부로

"딱히 누가 제일 강하냐고 하기에는 다들 강하신 분들이거든.
특히 자신의 분야에서는 천하의 누구에게도 뒤지지 않으시는 분들이야."

1. 가능하다

"가능하다."

"불가능해요."

"진짜 가능하다니까."

"진짜 불가능하다고요. 그게 사람이에요, 곰이지. 아니, 곰도 그렇게 하지 못할 거라고요."

강만리와 초목아는 팽팽하게 맞섰다. 보다 못한 설벽린이 끼어들었다.

"강 형님은 곰보다 더한 괴물이니까, 그냥 길만 알려줘. 분명 우리보다 먼저 그곳에 도착해 있을 테니까."

초목아는 누굴 어린아이로 아느냐는 눈빛으로 설벽린

을 쳐다보며 말했다.

"언니는 오빠, 형님도 구분 못하세요?"

"응? 아, 네가 아직 모르는구나."

설벽린은 어깨를 으쓱거리며 갑자기 목소리를 굵게 냈다.

"원래 나는 사내거든."

초목아도 일부러 목소리를 굵게 냈다.

"저도 사내아이거든요."

"하하하. 그거와는 다르지. 나는 원래 사낸데 일 때문에 여자로 변장하고 있는 거란다. 어때, 감쪽같지?"

설벽린이 웃으며 말하자 초목아는 믿을 수 없다는 듯 가늘게 눈을 뜨고 쳐다보다가 문득 담호를 돌아보며 눈짓을 건넸다. 저 말이 사실이냐고 묻는 눈짓이었다.

"응. 사실이야, 누나."

담호는 고개를 끄덕이며 말했다.

초목아는 잠시 담호를 바라보다가 다시 설벽린과 강만리를 돌아보며 입을 열었다.

"알겠어요. 담호가 저리 말하니 믿어 보기로 하죠."

설벽린은 담호를 바라보며 입을 벙긋거렸다.

화화 공자.

강만리가 보지도 않은 채 설벽린의 뒤통수를 한 대 때렸다. 설벽린이 머리를 감싸며 얼굴을 구길 때 초목아가 입을 열었다.

"산길을 따라 고개를 넘어가면 갈림길이 나와요. 거기에서 좌측으로 난 길을 따라가면 배 한 척이 있을 거예요. 백귀도에서 가장 물길이 좋은 곳이에요."

강만리가 고개를 끄덕였다.

"알겠다. 곧 따라붙으마."

강만리는 그렇게 말하고는 곧바로 경공술을 발휘, 모옥을 떠나 어둠 저편으로 사라졌다. 그가 달려간 쪽은 조금 전 그들이 함정을 헤치고 걸어왔던 바로 그 방향이었다.

"그럼 우리도 출발함세."

만해거사의 말을 따라 사람들은 강만리와 정반대 방향으로 산길을 오르기 시작했다.

초목아와 담호가 앞장서서 걸었고 그녀의 짐보따리를 든 만해거사와 유 노대가 뒤를 이었다. 설벽린은 이불로 꽁꽁 감싼 초유동을 업고서 산길을 올랐고, 그 뒤를 따라서 담우천과 나찰염요가 천천히 걸음을 옮겼다.

담호가 든 등불을 따라서 말없이 산길을 걷던 초목아가 문득 그를 돌아보며 입을 열었다.

"진짜야?"

담호도 그녀를 돌아보며 되물었다.

"뭐가, 누나?"

초목아는 가볍게 인상을 찡그리며 말했다.

"한 살 차이인데 꼬박꼬박 누나 대접받는 것도 그러네. 그냥 편하게 내 이름을 불러도 돼, 담호."

"그래도 돼, 누나?"

"그렇다니까."

"알았어, 목아."

"그래. 앞으로 그렇게 편하게 지내자."

"응, 고마워."

담호는 활짝 웃고는 다시 고개를 갸웃거리며 물었다.

"뭐가 진짜라는 거야?"

담호를 따라 배시시 웃던 초목아는 표정을 굳히며 물었다.

"네 강 숙부라는 사람 말이야. 진짜 배를 들고 산을 넘을 수 있어?"

"응. 물론이지."

담호는 마치 자신이 그런 양 으스대며 말했다.

"조금 전 설 숙부가 곰보다 더한 괴물이라고 했잖아? 그거 사실이야. 열 마리의 곰이 덤벼들어도 강 숙부가 힘으로 찍어 누를 테니까."

"진짜?"

"응, 진짜."

몇 번이고 물어보고 또 확인받았지만 여전히 초목아는 믿지 못하는 눈치였다.

작은 화선이라고는 하지만 그래도 길이는 오 장이 넘고 무게는 수백 관이나 되었다. 뭍에서 수리를 끝내고 물가까지 일이 장 거리를 이동할 때에도 장정 수십 명이 달라붙어야 겨우 옮길 수가 있었다.

그런데 저 강만리라는 작자는 혼자서 그 화선을 어깨에 짊어지고 백귀도를 가로지르듯 산을 넘어 맞은편 연안까지 달려오겠다는 것이다. 일반 상식을 가진 사람이라면 어찌 그 말을 믿을 수 있겠는가.

초목아는 이 무리 중에서 유일하게 신뢰하는 담호에게 몇 번이고 확인했지만, 아무래도 쉽게 믿어지지가 않았다.

'뭐, 가 보면 알겠지.'

초목아는 그렇게 마음을 먹고 열심히 발을 놀렸다. 어느덧 고개를 넘어 길은 산 아래로 이어지고 있었다. 한참을 걷자 갈림길이 나왔다. 초목아는 오른쪽 길로 방향을 꺾었고, 사람들은 그녀의 뒤를 따라 묵묵히 발을 놀렸다.

사위가 조용한 가운데 물결치는 소리만이 간간이 들려왔다. 초목아의 말대로, 확실히 강만리 일행이 배를 댔던 그곳보다는 훨씬 물결 소리가 잔잔하게 느껴졌다.

"저기예요."

초목아가 산 아래를 가리키며 말했다. 사람들은 눈을 가늘게 뜨고 그녀가 가리키는 곳을 바라보았다.

어둠 속, 몇 개의 크고 작은 바위들이 짙은 음영을 띤 채 웅크리고 있는 가운데 동정호의 물결이 부딪쳐서 찰싹거리는 소리를 내고 있었다. 배는 그 바위들 사이에 묶여 있었다.

"좁게 타면 다섯 사람도 탈 수 있어요."

초목아는 자랑하듯 으쓱거리며 말했다.

그때였다.

쿠쿠쿵!

지진이라도 난 듯한, 아니면 성난 곰이 마구 달려오는 듯한 굉음이 산 위쪽에서 들려왔다.

초목아는 깜짝 놀라며 뒤를 돌아보았다. 이내 그녀의 커다란 눈동자가 더욱 커졌다. 눈으로 직접 보고도 믿어지지 않는 광경이 펼쳐지고 있었다.

어둠이 내려앉은 산 정상, 화선 한 척이 모습을 드러냈다. 화선은 산을 거슬러 올라와 정상에 다다른 다음 그대로 미끄러져 내려오기 시작했다.

그 속도는 사슴보다 빨랐고 주위 수풀에 부딪치며 산에서 내려오는 소리는 수십 마리 곰이 떼를 지어 달려오는 것 같았다.

강만리였다.

강만리가 두 손으로 번쩍 화선을 든 채 산길을 내달리고 있었다. 금방이라도 폭발할 것처럼 시뻘겋게 달아오른 얼굴, 땀으로 흠뻑 젖은 옷, 그리고 잔뜩 팽창해 있는 근육들.

그렇게 화선을 들고 냅다 달려오는 강만리의 입에서는 연신 씩씩거리는 숨소리가 멧돼지의 그것처럼 울려 퍼졌다.

"힘드시겠다. 도와 좀 주세요."

나찰염요가 안쓰럽다는 듯이 말하자, 장예추와 설벽린이 동시에 지면을 박차고 훌쩍 몸을 날렸다. 그들은 이내 두 마리 야조(夜鳥)가 되어 밤하늘을 날았다.

그 날렵하고도 우아하기까지 한 경공술에 초목아의 눈이 화등잔만 하게 커졌다.

장예추와 설벽린은 단숨에 강만리에게 날아가 함께 화선을 들었다.

"고맙다."

강만리는 거친 숨을 몰아쉬며 헉헉거렸다.

"생각보다 힘드네, 산을 타는 건."

설벽린이 웃으며 말했다.

"그러니까 평소 등산 좀 하시면서 살을 빼셨어야죠."

"그러니까 말이다. 일이 끝나면 등산 좀 해야겠다."

그들은 대화를 주고받으면서 화선을 들고 초목아 일행을 지나쳐서 산에서 내려갔다.

"어때? 조금 늦장 부리니까 금세 우리를 따라잡으셨지?"

담호가 웃으며 초목아에게 말을 건넸다. 초목아는 입술을 잘강잘강 씹다가 불쑥 물었다.

"그럼 저 강 숙부라는 사람이 이곳에 계신 분들 중에서 가장 강해?"

"음, 그건 아닌데."

담호는 힐끗 만해거사와 유 노대의 눈치를 보며 말꼬리를 흐렸다. 만해거사가 웃는 낮으로 말했다.

"우리들 체면까지 생각하지 말고 사실대로 말해도 된다."

그러자 담호가 어색하게 웃으며 초목아에게 말했다.

"딱히 누가 제일 강하냐고 하기에는 다들 강하신 분들이거든. 특히 자신의 분야에서는 천하의 누구에게도 뒤지지 않는 분들이야."

듣지 않는 척, 관심이 없는 척 고개를 돌리고 있던 만해거사가 소리 없이 웃었다.

"그래?"

초목아는 뭔가 생각하다가 갑자기 눈빛을 빛내며 말했다.

"그럼 여기 어른들 모두를 사부로 삼으면 되겠네."

"응? 그건 무슨 말이야?"

"아, 동생은 알 것 없어. 누나 혼잣말이니까."

초목아는 혀를 쏙 내밀고는 서둘러 산 아래로 달려가면

서 소리쳤다.

"얼른 따라와. 미적거리다가 해 뜨겠어!"

2. 성동격서(聲東擊西)

우선 만해거사가 화선에 올랐다. 그래야 화군악의 상세를 보다 정확하게 파악하고 치유할 수가 있으니까. 초유동을 업고 다닐 설벽린도 화선에 탔다. 아직은 금해가와 싸우기 벅찬 담호와 초목아도 화선에 올랐다.

초목아의 조그만 나룻배에는 강만리와 담우천, 나찰염요, 그리고 장예추가 당연하다는 듯이 올라탔다. 그때까지 목적지를 정하지 못한 사람은 오직 유 노대뿐이었다.

"화선에 타시죠."

강만리가 말했다.

"아무래도 금해가에서 옛 동료들이나 전우들과 마주칠 수도 있으니 그런 부담되는 상황은 되도록 피하는 게 좋을 것 같습니다. 그리고 유 사부께서 만해 사부를 도와주셔야 저희들도 안심하고 싸울 수 있으니까요."

강만리의 말에 유 노대는 "미안하네."라며 화선에 올랐다. 두 척의 배는 곧장 백귀도의 연안을 벗어났다.

초목아는 뛰어난 뱃사공이자 노련한 길잡이였다.

물론 백귀도 북쪽 연안의 물길이, 강만리들이 헤쳐 온 남쪽보다 훨씬 잔잔하다고는 하지만 그래도 자칫 방심하면 수면 바로 아래에 잠겨 있는 암초에 배가 갈기갈기 찢기거나 좌초당할 수가 있었다.

　초목아는 그런 험한 물길을 자유자재로 지나쳐 순식간에 위험 수역을 벗어났다.

　달빛 한 점 없는 어두운 밤이었다. 화선과 나룻배는 미끄러지듯 동정호 수면을 가르며 백귀도에서 멀어졌다.

　그제야 강만리는 안도의 한숨을 내쉬며 이마의 땀을 닦았다. 그러고는 뱃머리에 서서 화선의 사람들에게 말을 건넸다.

　"무한의 황학루(黃鶴樓)에서 만납시다. 다들 조심하시기 바랍니다."

　유 노대가 고개를 끄덕이며 말했다.

　"우리 걱정은 하지 말고 자네들이나 조심하게. 가장 좋은 건 누구 하나 다치지 않고 퇴각하는 일일세."

　설벽린이 무슨 생각을 했는지 웃으며 말을 받았다.

　"당연하죠. 예서 더 부상자가 생기면 진짜 곤란할 테니까요."

　강만리가 그를 향해 눈을 흘기며 말했다.

　"그럼 예서 갈라지자."

　설벽린은 움찔하며 대꾸했다.

"조심하십쇼, 형님."

"너도 조심해라. 여인으로 변장한 상태에서 지금처럼 사내 목소리는 내지 말고."

"조심할게요."

설벽린은 이내 간드러진 목소리로 말했다. 초목아가 신기하다는 표정으로 그를 쳐다보았다.

두 척의 배는 마치 갈림길에서 좌우로 나뉘듯, 수면을 따라 서로 다른 방향으로 움직이기 시작했다.

악양루 기슭은 어둠에 잠겨 있었다. 구름처럼 운집했던 수많은 관중은 이미 집으로 돌아간 후였다. 악양루 주변을 밝히는 관솔불만이 저 멀리에서 별빛처럼 희미하게 빛나고 있었다.

초목아는 악양루에서 이십여 리 이상 떨어진 기슭으로 화선을 몰았다.

악양루 쪽으로 해서 악양부에 입성하는 것보다는 몇 시진이나 빙 돌아가는 길이었지만, 그래도 태극천맹이나 금해가의 경계망에서 되도록 멀리 벗어나 움직이는 게 나았다.

"길은 잘 아느냐?"

만해거사의 물음에 초목아는 방긋 웃으며 대답했다.

"걱정 마세요. 여기는 제 집 마당이나 다름없으니까요."

이윽고 초목아는 화선을 동정호 기슭에 접안(接岸)했다. 그녀는 다람쥐처럼 기슭으로 폴짝 뛰어내리고는 민첩하고 익숙한 솜씨로 기슭의 바위에 배를 묶어 두었다.

사람들이 차례로 화선에서 내렸다. 사위가 어두운 데다가 울울창창(鬱鬱蒼蒼)한 나무와 풀들이 사방을 가로막고 있어서 동서남북의 방향조차 가늠할 수가 없는 곳이었다.

"따라오세요."

초목아는 잔걸음으로 수풀을 헤치고 나아갔다. 사람들은 묵묵히 그녀의 뒤를 따랐다.

한참이나 숲을 지나자 이윽고 저 멀리 거대한 성벽의 모습이 시야에 들어왔다. 성벽 위에는 십여 장 간격을 두고 횃불이 밝혀져 있었고, 중간중간 오가는 포졸들이 성벽을 지키고 있었다.

"음. 성문은 닫혀 있을 테니 벽을 넘어야 하나?"

설벽린이 중얼거리자 초목아는 피식 웃으며 말했다.

"또 사내 목소리."

"아, 그러네. 고마워, 동생."

설벽린이 활짝 웃으며 말하자 초목아는 징그럽다는 듯이 몸을 부르르 떨고는 나지막하게 말했다.

"굳이 성벽을 넘을 필요는 없어요. 자유롭게 드나들 수 있는 개구멍이 있으니까요."

그녀는 다시 사람들은 인도하여 성벽으로 접근했다.

초목아의 말은 사실이었다. 성벽 아래 우거진 수풀을 헤치자, 건장한 사내도 충분히 기어서 통과할 정도의 개구멍이 모습을 드러냈다.

초목아는 이미 몇 번이나 그곳을 통해 악양부를 오간 듯 거침없이 움직여 개구멍으로 들어갔다.

성벽 위에는 포졸들이 있었지만 누구 하나 그들의 움직임을 알아차리는 이가 없었다.

악양부 성내 또한 짙은 어둠이 내려앉아 있었다. 이미 자시(子時)가 훌쩍 지난 시각이었다.

성내의 모든 건물은 불이 꺼져 있었고 그곳에서 살아가는 이들은 내일을 위해 깊은 잠에 빠져 있었다. 오직 딱딱이를 들고 다니는 야경꾼이나 순찰하는 포졸들만이 가끔 보일 따름이었다.

"태극천맹이나 금해가 사람들이 보이지 않는군."

만해거사의 말에 유 노대가 고개를 끄덕이며 대꾸했다.

"다들 백귀도로 몰려간 게지."

"그럼 굳이 패를 나누지 않아도 되었을 텐데."

"만에 하나라는 게 있으니까."

그렇게 말하는 유 노대의 눈빛이 싸늘하게 빛났다.

"게다가 한번 크게 혼을 내 줄 필요도 있으니까."

유 노대는 태극천맹과 건곤가 사람들이 초유동에게 부린 행패가 영 괘씸했던 모양이었다. 그는 평소와는 달리 사납고 매서운 목소리로 이야기하고 있었다.

"오만하고 거만해진 게야."

만해서사도 동의한다는 듯 입을 열었다.

"권력을 쥐게 되자 자신들이 세상의 주인이라도 된 것처럼 행동하는 게지. 더는 무서운 게 없고 두려워할 것도 없는 게야. 민심이나 강호의 민의 따위는 힘과 권력으로 찍어 누르면 된다는 생각을 하는 게지. 당연히 큰코다칠 때가 된 게야."

"쉿, 목소리가 크십니다."

설벽린의 말에 두 노인은 대화를 멈췄다. 그리고 그들은 악양부의 조용하고 어두운 거리를 말없이 은밀하게 이동하기 시작했다.

어느덧 남천로 입구에 들어선 그들은 게서 잠시 걸음을 멈추고 주변의 기척을 확인했다.

어제까지만 하더라도 세 겹의 철통 같은 경계망이 펼쳐져 있던 남천로 주변은 쥐새끼 죽은 듯 고요하고 을씨년스러웠다. 그들이 이미 이곳을 벗어났다고 판단하고는 모두 철수한 모양이었다.

하지만 그들은 경계의 끈을 풀지 않은 채 조심스럽게 천천히 발을 움직여 대복객잔으로 향했다. 무사히 대복객잔에 당도한 그들은 서둘러 객잔 안으로 들어섰고, 그제야 비로소 안도의 한숨을 내쉬며 긴장을 늦출 수가 있었다.

"이 층이라고 했지?"

만해거사는 유 노대에게 초유동을 건네고는 그대로 도약하여 이 층으로 뛰어 올라갔다. 다른 이들도 곧바로 그를 따라 이 층으로 올라왔다.

만해거사는 복도 끝에 있는 비밀 장소의 문을 열었다. 그곳에 화군악이 죽은 듯 누워 있었다. 만해거사는 파르르 떨리는 손길로 화군악의 맥을 짚었다. 이내 깊은 한숨이 그의 입에서 흘러나왔다.

"어떤가?"

뒤늦게 따라온 유 노대가 다급한 어조로 물었다. 만해거사는 조금은 차분해진 목소리로 대답했다.

"아직 죽지 않았네."

"아니, 그것 말고. 살릴 수 있겠는가?"

"이제 겨우 맥문을 짚었을 뿐이야. 너무 성급하게 굴지 말게나."

만해거사의 따끔한 말에 유 노대는 머쓱한 표정을 지으며 설벽린을 돌아보곤 입을 열었다.

"마차를 구해야겠다."

설벽린이 고개를 갸웃거리며 물었다.

"무한이라면 뱃길이 더 낫지 않나요?"

"바보 같은."

유 노대는 인상을 찡그리며 말했다.

"애당초 뱃길을 이용할 생각이었으면 굳이 목아와 초늙은이를 예까지 데리고 왔겠느냐? 그 화선에서 우리를 기다리라고 했겠지."

"안 그래도 그 부분이 이상하던 참이었어요."

"비록 동정호가 바다처럼 넓다고는 하지만 악양에서 무한으로 가는 뱃길은 한정되어 있다. 만약 놈들이 그 길목을 딱 가로막고 있으면 우리는 그야말로 빼도 박도 못하는 상황이 될 것이야."

"하지만 그건 마차도 비슷하지 않나요? 무한으로 이어지는 관도는 하나뿐이잖아요?"

"그러니까 빙 돌아가야지."

유 노대는 차분한 어조로 설명했다.

"굳이 적벽에서 함녕을 지나 무한으로 이어지는 관도를 탈 생각은 없다. 좀 더 남쪽으로 내려가서 평강에 도착했다가 다시 북쪽으로, 통성현을 지나 무한으로 갈 것이야."

설벽린은 머리를 굴렸다.

지금 유 노대가 제시하는 방법은 빠르게 무한으로 가는 것보다 사나흘 이상은 족히 돌아가는 먼 길이었다.

"굳이 그렇게까지 할 필요가 있을까요? 강 형님이 소란을 피우면 다들 그리로 몰려갈 텐데요."

"물론 그러면 우리야 좋겠지. 하지만 놈들 중 누군가 성동격서(聲東擊西)의 계략을 눈치치고 미리 경계망을 펼쳐 놓거나, 혹은 뒤늦게 우리의 도주를 알아차리고 쫓아오는 경우를 대비해서라도 멀리 돌아서 움직이는 게 최선의 방법인 게지."

설벽린은 다시 고개를 갸웃거렸다.

"아무리 생각해도 그건 아닌 것 같아요."

"왜?"

"만약 놈들이 미리 경계망을 펼쳐 둔다면 그저 무한으로 가는 길목만 막고 있지는 않을 거니까요. 당연히 뱃길은 물론, 악양부 동서남북 모든 성문을 틀어막고 있겠죠. 그들은 결국 우리가 북해로 갈 거라는 사실을 모르고 있으니까요."

"으음."

"그러니 강 형님이 소란을 피우는 동안 우리는 최대한 빠르게 악양부를 탈출하는 게 최선이라고 생각해요. 뱃길이야 그렇다 치더라도, 마차를 구하면 일직선으로 황학루까지 직진하는 거죠."

"나도 벽린의 말이 옳다고 생각하네."

화군악의 상세를 살피던 만해거사가 그의 맥문을 짚고

있던 손을 떼며 입을 열었다.

"아무래도 군악의 상세가 심상치 않거든."

3. 역병(疫病)

만해거사의 말에 사람들의 표정이 급격하게 어두워졌다. 만해거사는 화군악의 입을 벌려 피독주를 물리면서 천천히 말을 이어 나갔다.

"증상을 보아하니 아무래도 오독(五毒)을 배합한 극독에 중독된 것 같네."

오독은 극독을 지닌 뱀, 전갈, 두꺼비, 지네, 거미를 지칭하는 말로, 그 독들의 배합에 따라서 수십, 수백 가지의 서로 다른 종류의 독이 완성된다.

일곱 걸음을 걷기도 전에 목숨을 잃는다는 칠보탈명독(七步奪命毒), 열흘 동안 겪게 되는 지옥의 고통을 참지 못하고 결국 자살하고 만다는 십일단혼단(十日斷魂丹), 심지어는 아예 중독되자마자 목숨을 잃게 만드는 탈백절명산(奪魄絶命散) 같은 독들이 바로 오독을 이용하여 만든 극독이었다.

"그나마 다행인 건 예추가 정말 빠르고 완벽하게 응급처치를 했다는 점이고, 이제 무슨 독에 중독되었는지 알게 되었다는 것이야."

만해거사의 말에 유 노대가 다급하게 물었다.

"그럼 고칠 수 있는 겐가? 완쾌할 수 있는 겐가?"

"아니. 그렇게 쉽지는 않네."

만해거사는 침중한 어조로 말을 이었다.

"어느 정도 치료는 할 수가 있지만 워낙 오독의 배합 종류가 많아서 그 종류에 딱 맞는 해독약이 아니라면 완쾌는 어렵네. 치료가 끝나더라도 반신불수가 된다거나 혹은 말을 하지 못하게 된다거나 하는 후유증이 남게 되지."

"이런……."

"그럼 어떻게 해야 합니까? 이제 군악은 예전의 그 모습을 찾을 수 없다는 겁니까?"

설벽린도 다급했는지 사내 목소리로 그렇게 물었다. 만해거사는 이번에도 고개를 저었다.

"아니, 물론 방법은 있지."

"무슨 방법인가요?"

"오독에 관해서라면 외려 사천당문보다도 더 해박한 지식에 뛰어난 실력을 지는 문파가 있으니까."

"오독문(五毒門)!"

설벽린은 저도 모르게 소리치고는 황급히 두 손으로 입을 막았다. 유 노대와 만해거사가 동시에 그를 노려보았다. 만해거사는 길게 한숨을 내쉬며 입을 열었다.

"오독문이라면 군악이 어떤 종류의 오독에 당했는지 금세 알 수 있을 게야. 또 적절한 해독약을 제시해 줄 수도 있겠지."

"하지만 오독문은 이미 멸문당하지 않았나?"

유 노대가 이맛살을 모으며 물었다.

"정사대전 당시 사파의 편에 섰던 오독문주와 문하 백여 명이 모두 죽은 줄로 아는데?"

"아니, 그중 몇은 살아 있네."

만해거사는 담담한 목소리로 말했다.

"모든 문파가 그렇듯이 오독문 또한 멸문만큼은 반드시 막기 위해서 종자(種子)를 남겨 뒀고, 그 종자들은 정사대전 당시 심산유곡으로 숨어 들어가 이름과 문호(門號)를 바꿔서 은둔 생활을 했었네."

"음? 그걸 자네가 어찌 아나?"

유 노대의 질문에 만해거사는 문득 감상에 젖은 얼굴로 대답했다.

"이야기하면 기네."

"그럼 그건 나중에 듣기로 하고요."

설벽린이 답답하다는 듯이 끼어들었다.

"그 오독문의 종자들이 있는 곳이 어디입니까? 바로 그곳으로 가면 되는 겁니까?"

"봉신산(封神山)이라고, 강서에 있네. 파양호(鄱陽湖) 남서쪽에 있는 산이지."

"그럼 얼른 그곳으로 출발…… 아! 강 형님과 약속이……."

"그래. 그러니 우선 최대한 빨리 강 장주와 만나서 다시 봉신산으로 가야 하네. 우리가 해야 할 일은 그때까지 군악의 상세가 나빠지지 않도록 치료를 해야 하는 거고."

"그럼 뭘, 어떻게 해야 하죠?"

"우선 마차를 구하게. 그리고 내가 약방문을 써 줄 터이니 근처 의방에서 그 재료들을 구해 오게. 아, 참! 닭 피도 한 사발 챙겨 오고."

"닭 피요?"

"그렇지, 닭 피. 원래 닭 피가 오독과 상극이라, 그 중독 증상을 완화해 주는 효능이 있다네."

"알겠습니다. 그럼 얼른 약방문을 써 주세요."

설벽린은 당장이라도 달려 나갈 듯 자리에서 벌떡 일어나며 만해거사를 재촉했다.

그날 밤.

설벽린은 누구보다도 정신없이 움직여야 했다.

고기도 먹어 본 놈이 잘 먹는다고, 의방으로 몰래 숨어들어 약방문의 재료를 훔치는 건 설벽린의 몫이었다. 물론 주변 거리를 돌아다니면서 닭 피를 구하는 것도 그의 일이었다.

개똥도 약에 쓰려면 없다더니 시도 때도 없이 우는 닭의 울음소리도 전혀 들리지 않는 바람에, 설벽린은 한 시진 이상 주변 동네를 돌아다닌 후에야 겨우 한 사발의 닭 피를 모을 수 있었다.

설벽린은 구한 약재와 닭 피를 만해거사에게 가져다준 다음, 다시 거리로 나와 마차를 구했다. 한밤중에 아무도 모르게 말들을 달래고 재갈을 물려 마차를 끌게 하는 건 거의 불가능에 가까운 일이었다.

설벽린은 닭 피를 구하는 와중에 미리 준비한 야채와 채소들을 말에게 먹이면서 어르고 달래어 겨우 마차에 묶고 마장을 빠져나올 수 있었다.

하지만 말들은 이내 투레질을 하기 시작했고, 밤 귀 밝은 마장 사람들이 화들짝 놀라며 잠에서 깨어 달려 나왔다. 설벽린은 뒤도 돌아보지 않고 채찍질하며 마장에서 도망쳤다.

"도둑이다!"

"마차 도둑이다!"

마장 사람들이 몽둥이를 들고 뒤쫓아 오는 소리가 더 이상 들리지 않게 되었을 때, 설벽린은 그제야 마차의 속도를 늦추며 이마의 땀을 닦았다.

바로 그 순간이었다.

콰앙!

천지가 진동하는 굉음이 저 멀리에서 들리는가 싶더니 이내 거대한 불기둥이 동쪽 밤하늘 높이 크게 솟구쳤다. 말들이 깜짝 놀라며 앞다리를 들고 허공을 휘저었다.

설벽린은 황급히 말들을 진정시키며 고개를 돌렸다. 얼마나 불기둥이 거세게 솟구치는지, 그 뜨거운 열기가 설벽린의 얼굴까지 와닿는 것 같았다.

"강 형님이 시작했구나."

설벽린은 잠시 불타오르는 동쪽 밤하늘을 지켜보다가 다시 마차의 속도를 높였다.

대복객잔 앞에는 이미 만해거사들이 나와서 그를 기다리고 있었다. 그들은 빠르게 마차에 올랐고, 설벽린은 다시 방향을 바꿔 악양부 북문으로 질주하기 시작했다.

사람들은 마차 창밖으로 화려하게 불타오르는 동쪽 하늘을 지켜보았다.

화르륵!

불길이 사방으로 번지는 소리, 병장기 부딪치는 소리, 고함과 비명, 울부짖는 소리가 들려오는 것만 같았다.

"잘 빠져나와야 할 텐데."

유 노대가 무심코 중얼거렸다. 담호의 안색이 창백해졌다. 만해거사가 돌아보고는 그의 머리를 쓰다듬으며 말했다.

"다른 사람은 몰라도 네 부모는 전혀 걱정할 필요가 없을 게다. 천하에서 가장 강한 사람들이니까."

일순 초목아의 눈빛이 반짝였다.

"담호의 부모님이 세상에서 가장 강한 분들인가요?"

"뭐 그렇다고 볼 수…… 음, 그렇군. 잘 모르겠다."

만해거사가 얼렁뚱땅 말을 넘겼다. 하지만 이미 때는 늦었다. 초목아의 눈동자 속에서는 뜨거운 결의의 빛이 빛나고 있었다.

이윽고 그들을 태운 마차는 남천로와 북천로를 지나 북문 앞에 당도했다.

성문은 굳게 닫혀 있었다. 포졸들은 화톳불을 밝힌 채 그 앞에서 멀리 불타오르는 밤하늘을 구경하고 있다가, 느닷없이 폭주하듯 달려오는 마차에 깜짝 놀라며 자리에서 벌떡 일어나 창을 겨눴다.

동시에 그들은 마차를 모는 이가 눈이 번쩍 뜨이는 미녀라는 사실에 또 한 번 깜짝 놀라야만 했다.

설벽린이 다급하게 말했다.

"환자가 있어요! 아주 위급한 중환자예요!"

포졸들을 헤치며 한 사내가 걸어 나왔다. 이날 밤 북문의 경비를 책임진 사(史) 포두라는 자였다.

그를 본 설벽린은 눈물을 흘리며 애절하게 말했다.

"할아버지와 제 남동생이 죽어 가고 있어요. 제발 부탁이에요, 문을 열어 주세요."

사 포두는 마차를 모는 여인이 너무나도 아름다운 걸 보고는 흠칫 놀라는 표정을 지었다. 하지만 곧 근엄한 얼굴로 말했다.

"따로 통행증이 없으면 열어 줄 수가 없네."

"하지만 왕 의생이 반드시 이곳에서 먼 곳으로 가서 치료받으라고 했는데요?"

"왕 의생? 그가 누구인데?"

"우리 동네에서 제일 용하다는 의생이에요. 예순 살이 넘어서 온갖 병을 다 보고 치료했지만 이 병만큼은 도저히 고칠 수가 없다고, 악양부가 역병에 휩싸이기 전에 최대한 빨리 다른 곳으로 가라고 하셨어요."

"역병?"

일순 사 포두의 얼굴이 딱딱하게 굳어졌다. 동시에 포졸들이 두 걸음 뒤로 물러났다. 사 포두는 떨리는 눈빛으로 설벽린을 쳐다보았다.

마부석에 앉은 설벽린은 쉴 새 없이 눈물을 흘리고 있었다. 그 한없이 아름다우면서도 가녀리고 애절한 모습에 사나이들의 가슴은 절로 뭉클해졌다.

"허험, 그래도 공무는 공무이니 함부로 문을 열어 줄 수 없네. 어디 환자들이 어떤 상태인지 한번 보겠네."

일순 포졸들이 그를 말렸다.

"너무 위험합니다, 사 포두."

"역병이랍니다."

하지만 사 포두는 개의치 않은 척, 떨리는 발길을 옮겨 마차로 다가가 문을 열었다.

문을 여는 순간, 사 포두는 저도 모르게 코를 막고 인상을 찡그리며 뒤로 물러났다. 마차 안에서 시체 썩는 냄새가 풍겨 왔던 것이다.

사 포두는 마차에서 서너 걸음 떨어진 곳에 선 채 마차 안을 둘러보았다.

늙은이 둘, 소년소녀가 잔뜩 겁에 질린 얼굴로 사 포두를 바라보고 있었다. 그리고 두 구의, 시신과도 같은 푸르뎅뎅한 안색의 노인과 청년이 이불에 둘러싸인 채 눕혀져 있었다. 그것들을 본 사 포두의 뇌리에 역병이라는 단어가 절로 떠올랐다.

"얼른 문을 열어라!"

사 포두가 소리쳤다.

포졸들이 황급히 성문을 열었다. 마차는 빠른 속도로 성문을 빠져나갔다.

사 포두가 한숨을 쉬며 포졸들에게 다가가자, 포졸들은 황급히 뒤로 물러났다. 사 포두가 얼굴을 일그러뜨리며 소리쳤다.

"내가 무슨 역병이라도 옮길 것 같더냐?"

포졸들이 움찔거렸다.

사 포두는 다시 한숨을 내쉬었다. 그는 왕 의생이라는 자가 왜 한시라도 빨리 저 마차에 탄 자들을 악양부 밖으로 내쫓으려 했는지 이해할 수 있었다.

동시에 날이 밝는 대로 왕 의생을 찾아가, 악양부를 역병에서 벗어날 수 있게 한 공로를 치하하기로 마음먹었다.

(무림오적 39권에서 계속)

강서울 판타지 장편소설

아카데미의 천재 테이머

매일 야근에 갈려 나가던 수의사 인턴 인생
어느 날, 피폐물 속 악역 엑스트라에 빙의해 버렸다

[이야기를 한시하의 시점으로 동기화합니다.]

"왜 하필… 한시하냐고!"

잠깐, 나쁜 짓을 해서 죽을 운명이라면…
착하게 살면 되는 거 아냐?

그런데
이 학교, 좀 적성에 맞는 거 같다